INSTITUT FÜR ANGEWANDTE WIRTSCHAFTSFORSCHUNG
TÜBINGEN

Schriftenreihe: Band 14

Technischer Fortschritt, Freisetzung und Arbeitsmarkt in Baden-Württemberg

Eine regionale und sektorale Analyse

von

DIETER SCHWARZ und ADOLF WAGNER

Mit 10 Abbildungen und 27 Tabellen

1970

J. C. B. MOHR (PAUL SIEBECK) TÜBINGEN

J. C. B. Mohr (Paul Siebeck) Tübingen 1970

Printed in Germany
Offsetdruck: Christian Gulde, Tübingen
Einband: Heinrich Koch, Großbuchbinderei, Tübingen
Best.-Nr. 33088

Vorwort

Das Wirtschaftsministerium Baden-Württemberg hat im Einvernehmen mit dem Arbeits- und Sozialministerium Baden-Württemberg dem Institut für Angewandte Wirtschaftsforschung Tübingen aufgegeben, die "Auswirkungen des technischen Fortschritts auf die Arbeitsmarktentwicklung in Baden-Württemberg" zu untersuchen. Dieser Auftrag ist vor einem speziellen strukturpolitischen Hintergrund zu sehen. Deshalb konnten wir uns nicht darauf beschränken, der Fragestellung nur global für das Land nachzugehen. Wir mußten vielmehr die Arbeitsproduktivität und ihre Veränderung, in der wir den technischen Fortschritt sehen, sowohl sektoral als auch regional bestimmen. Schließlich galt es, die beiden Strukturkreise miteinander zur Deckung zu bringen und künftige Entwicklungen zu prognostizieren.

Die Materialfülle zwang uns dazu, in der vorliegenden Untersuchung ausschließlich Ergebnistabellen zu veröffentlichen.

Bei der Abfassung der Studie hat uns Herr Professor Dr. Alfred E. Ott, der Direktor des Instituts für Angewandte Wirtschaftsforschung Tübingen, beraten. Herr Diplom-Mathematiker R. Wiegert besorgte die Programmierung und Durchführung der Projektionen im Rechenzentrum der Universität Tübingen. Die Herren F. Abkou, Diplom-Volkswirt H.-P. Brändle, S. Bullinger, J. P. Just, J. Pätzold, Diplom-Volkswirt P. Pfundstein sowie Fräulein B. Wolf halfen uns bei der Sammlung und Auswertung des Zahlenmaterials. Frau G. Göcmener und Fräulein B. Müller übernahmen die technische Fertigstellung des Berichts. Bei der Materialbeschaffung erfuhren wir Anregungen und Unterstützung durch Herrn Professor Dr. K. Szameitat, den Präsidenten des Statistischen Landesamtes

Baden-Württemberg, die Herren Dr. Eckl und Braun vom Landesarbeitsamt Baden-Württemberg sowie Herrn Dr. Zanker vom Regierungspräsidium Südwürttemberg-Hohenzollern. Allen Genannten gilt unser Dank.

Tübingen, im April 1969 Dieter Schwarz und Adolf Wagner

Inhaltsverzeichnis

Verzeichnis der Tabellen

Verzeichnis der Abbildungen

Autokennzeichen der Stadt- und Landkreise Baden-Württembergs

1. Regierungsbezirk Nordwürttemberg

S	Stuttgart
HN-S	Heilbronn -(Stadt)
UL-S	Ulm -(Stadt)
AA	Aalen
BK	Backnang
BB	Böblingen
CR	Crailsheim
ES	Esslingen
GP	Göppingen
HDH	Heidenheim
HN-L	Heilbronn -(Land)
KÜN	Künzelsau
LEO	Leonberg
LB	Ludwigsburg
MGH	Mergentheim
NT	Nürtingen
ÖHR	Öhringen
GD	Schwäbisch Gmünd
SHA	Schwäbisch Hall
UL-L	Ulm -(Land)
VAI	Vaihingen
WN	Waiblingen

2. Regierungsbezirk Nordbaden

KA-S	Karlsruhe -(Stadt)
HD-S	Heidelberg -(Stadt)
MA-S	Mannheim -(Stadt)
PF-S	Pforzheim -(Stadt)
BR	Bruchsal
BCH	Buchen
HD-L	Heidelberg -(Land)
KA-L	Karlsruhe -(Land)
MA-L	Mannheim -(Land)
MOS	Mosbach
PF-L	Pforzheim -(Land)
SNH	Sinsheim
TBB	Tauberbischofsheim

3. Regierungsbezirk Südbaden

FR-S	Freiburg -(Stadt)
BAD	Baden-Baden
BH	Bühl
DS	Donaueschingen
EM	Emmendingen
FR-L	Freiburg -(Land)
NEU	Neustadt
KEL	Kehl
KN	Konstanz
LR	Lahr
LÖ	Lörrach
MÜL	Müllheim
OG	Offenburg
RA	Rastatt
SÄK	Säckingen
STO	Stockach
ÜB	Überlingen
VL	Villingen
WT	Waldshut
WOL	Wolfach

4. Regierungsbezirk Südwürttemberg-Hohenzollern

BL	Balingen
BC	Biberach
CW	Calw
EHI	Ehingen
FDS	Freudenstadt
HCH	Hechingen
HOR	Horb
MÜN	Münsingen
RV	Ravensburg
RT	Reutlingen
RW	Rottweil
SLG	Saulgau
SIG	Sigmaringen
TT	Tettnang
TÜ	Tübingen
TUT	Tuttlingen
WG	Wangen

I. Die Zielsetzung der Untersuchung

1. Die strukturpolitische Fragestellung

Die Auswirkungen des technischen Fortschritts auf den Arbeitsmarkt können unter verschiedenen Blickwinkeln untersucht werden, so z.B. aus soziologischer, aus sozialpolitisch-arbeitsrechtlicher und aus wirtschaftspolitischer Sicht. In der vorliegenden Untersuchung sollen diese Auswirkungen für das Land Baden-Württemberg mithilfe einfacher wirtschaftstheoretischer Überlegungen (vgl. Kapitel II) auf der Grundlage des zur Verfügung stehenden amtlichen statistischen Materials (vgl. Kapitel III) analysiert und - soweit möglich - prognostiziert werden. Damit unterstellen wir eine Kausalkette, die den technischen Fortschritt für Veränderungen der Nachfrage auf dem Arbeitsmarkt verantwortlich macht. Andere mögliche Zusammenhänge zwischen technischem Fortschritt und Arbeitsmarkt bleiben unberücksichtigt. So etwa bleibt offen, inwiefern der technische Fortschritt die qualitative Nachfrage nach Arbeit beeinflußt, in welchem Ausmaß und in welcher Richtung der technische Fortschritt also neue Berufsbilder schafft oder bestehende verändert.

Die Auswirkungen des technischen Fortschritts auf den Arbeitsmarkt in Baden-Württemberg werden in der vorliegenden Untersuchung vor allem unter strukturpolitischen Gesichtspunkten behandelt. Struktur definieren wir dabei ganz allgemein als "das Verhältnis der Teile eines Ganzen" [1]. Strukturwandlungen sind demnach "Verschiebungen in der Proportion der Komponenten, ... Abweichungen von der gleichmäßigen, homogenen Entwicklung aller Teile" [2].

1) J. Niehans, Strukturwandlungen als Wachstumsprobleme, in: F. Neumark (Hrsg.), Strukturwandlungen einer wachsenden Wirtschaft, Erster Band, Schriften des Vereins für Socialpolitik, N.F., Bd. 30/I, Berlin 1964, S. 18 - 45, S. 19.

2) J. Niehans, Strukturwandlungen als Wachstumsprobleme, a.a.O., S. 19.

Übertragen wir diese Begriffe auf unsere Fragestellung, so lassen sich zwei Strukturkreise unterscheiden:

1. Der sektorale Strukturkreis, in dem die Relationen zwischen den einzelnen Sektoren der Wirtschaft und der Gesamtwirtschaft Baden-Württembergs sowie deren zeitliche Veränderungen (sektorale Strukturwandlungen) zur Diskussion stehen, und

2. der regionale Strukturkreis, in dem die Relationen der regionalen Untereinheiten, den Stadt- und Landkreisen, zur regionalen Gesamteinheit, dem Land, und deren zeitliche Veränderungen (regionale Strukturwandlungen) zu untersuchen sind.

Diese beiden Strukturkreise sind nun nicht losgelöst voneinander zu sehen, sondern müssen miteinander zur Deckung gebracht werden. Man könnte demnach die strukturpolitische Fragestellung unserer Studie als ein Problem der Verknüpfung sektoraler mit regionaler Strukturanalyse umschreiben. Sie ist im Zusammenhang mit der wirtschaftlichen Strukturpolitik, der "Hauptaufgabe der eigenständigen Wirtschaftspolitik eines Bundeslandes" [1], zu sehen.

---

1) Wirtschaftsministerium Baden-Württemberg, Strukturentwicklungsprogramm, Programm zur Förderung der gewerblichen Wirtschaft Baden-Württembergs, Stuttgart 1968, S. 9.

2. Bestandsaufnahme und Projektion

Ging es uns im vorigen Abschnitt darum, die sachliche Problemstellung aufzuzeigen, so soll nunmehr der von uns beschrittene Lösungsweg skizziert werden.

Nachdem wir in Kapitel II das wirtschaftstheoretische Fundament gelegt und die darin gewonnenen Erkenntnisse in Kapitel III mit den von der amtlichen Statistik bereitgestellten Daten konfrontiert haben, erfolgen in Kapitel IV eine Bestandsaufnahme und in Kapitel V der Versuch einiger alternativ bedingter Projektionen.

Die Bestandsaufnahme erstreckt sich auf die sektorale und regionale Arbeitsproduktivität, ihre gegenseitige Verknüpfung und deren Auswirkungen auf den Arbeitsmarkt in den Jahren 1955 bis 1967. Sie dient einem zweifachen Zweck. Einmal soll sie zur Erklärung, d.h. nachträglichen Vorhersage [1] der historischen Entwicklung dienen, insbesondere regionale und sektorale Strukturwandlungen und deren Ursachen zeigen. Zum anderen soll sie - und darin sehen wir ihre Hauptaufgabe - den Grund für Vorhersagen künftiger Entwicklungen legen.

Bei den von uns versuchten Vorhersagen handelt es sich um Projektionen und nicht um Prognosen, da sie von der Verläßlichkeit der Ausgangsbedingungen her nur "eine eingeschränkte Wahrscheinlichkeit haben" [2]. Unsere Projektionen sollen - um einen aktuellen Bezug herzustellen - ein bescheidener Beitrag auf dem Wege zu einer rationalen Wirtschaftspolitik sein, die nach H. Giersch "planmäßig auf die Verwirklichung eines umfassenden, wohldurchdachten und in sich ausgewogenen Zielsystems gerichtet ist und dabei den höchsten Erfolgsgrad erreicht, der unter den jeweiligen Umständen möglich ist" [3].

1) H. Giersch, Allgemeine Wirtschaftspolitik, Erster Band, Grundlagen, Wiesbaden 1960, S. 27.
2) H. Giersch, Allgemeine Wirtschaftspolitik, a.a.O., S. 39.
3) H. Giersch, Allgemeine Wirtschaftspolitik, a.a.O., S. 22.

II. Die theoretische Grundlegung [1)]

1. Begriff und Arten des technischen Fortschritts

"Unter technischem Fortschritt versteht man

(1) die Schaffung neuer, d.h. bis zu der betreffenden Zeit unbekannter Produkte,

(2) den Übergang zu neuen Produktionsverfahren, die es gestatten, eine gegebene Menge von Produkten mit geringeren Kosten bzw. mit den gleichen Kosten eine größere Produktmenge herzustellen." [2)]

Der technische Fortschritt erhöht also die Effizienz des volkswirtschaftlichen Arbeits- und Kapitaleinsatzes durch eine Ausweitung des angewandten technischen Wissens auf zweifache Weise: Er bewirkt erstens eine qualitative Verbesserung der volkswirtschaftlichen Gesamtproduktion, die den intensitätsmäßig nicht meßbaren Konsumentennutzen auf einem höheren Niveau befriedigt. Zweitens schlägt sich der technische Fortschritt in einer quantitativ meßbaren Steigerung der volkswirtschaftlichen Gesamtproduktion von konstanter Qualität nieder.

Ein neues Produktionsverfahren ist kostengünstiger als ein altes, wenn

entweder der Kapitalaufwand pro Produkteinheit
und/oder der Arbeitsaufwand pro Produkteinheit

sinkt. Technischer Fortschritt im Sinne von (2) (der Fall (1), die Schaffung neuer Produkte,kann hier unbeachtet bleiben) erfordert demnach stets die Freisetzung von Kapital und/oder Arbeit. Die Freisetzung von Kapital, der sog. kapitalsparende technische Fortschritt, kann als relativ unwichtig außer Betracht bleiben; es interessiert allein, und zwar vor allem auch wirtschafts- und sozialpolitisch, die Freisetzung von Arbeit, der arbeitsparende technische Fortschritt.

1) In dieses Kapitel wurde ein unveröffentlichtes Manuskript von A.E. Ott, Einige Bemerkungen zum Problem der Freisetzung, übernommen.

2) A. E. Ott, Technischer Fortschritt, in: Handwörterbuch der Sozialwissenschaften, 10. Band, 1959, S. 302-316, S. 302.

Unter der Zielsetzung, die Auswirkungen des technischen Fortschritts auf den Arbeitsmarkt zu analysieren, kommt es ausschließlich darauf an, dem Wirkungszusammenhang zwischen technischem Fortschritt, Produktionsvolumen und Faktoreinsatz nachzugehen, der - unter Berücksichtigung der Faktorpreise - in folgender Formel zum Ausdruck kommt:

$$P = \frac{Y}{A.l + K.q} \qquad (1)$$

Darin bedeuten: P = (Gesamt-)Produktivität
Y = Produktionsmenge
A = Arbeitseinsatz
l = Lohnsatz
K = Kapitaleinsatz
q = Kapitalkostensatz

Technischer Fortschritt bewirkt demnach einen Anstieg der Produktivität P, der - unter der Annahme verhältnismäßig konstanter Faktorpreise (l und q) - sich in einem relativ zur Produktionsmenge verringerten Einsatz von Arbeit, Kapital oder beidem zeigt. Dem entspricht die in der Literatur übliche Einteilung in arbeitsparenden ($\frac{K}{A}$ steigt), kapitalsparenden ($\frac{K}{A}$ sinkt) und, als Grenzfall, neutralen ($\frac{K}{A}$ bleibt konstant, wobei sowohl K als auch A sinken) technischen Fortschritt [1].

---

1) Vgl. hierzu A. E. Ott, Technischer Fortschritt, a.a.O. Zu den hier nicht behandelten sonstigen Klassifikationen des technischen Fortschritts vgl. die detaillierte Darstellung bei Institut für Angewandte Wirtschaftsforschung Tübingen (L. Rall und T. Ihlau), Erster Arbeitsbericht zum Forschungsvorhaben "Theoretische und empirische Probleme des technischen Fortschritts", Tübingen 1967.

Abgesehen davon, daß es in der dynamischen Wirtschaftstheorie kein Kapitalmaß mit verläßlichem Realitätsbezug gibt, abgesehen auch davon, daß die amtliche Statistik nicht einmal für die Bundesrepublik, geschweige denn für kleinere regionale und sektorale Einheiten über Investitionssummen hilfsweise Kapitalbestände fortschreibt, wies eine empirische Untersuchung des technischen Fortschritts anhand geschätzter Kapitaldaten für die Bundesrepublik Deutschland dem arbeitsparenden technischen Fortschritt die dominierende Rolle zu [1]. Demnach ist festzuhalten, daß sich - unabhängig von unserer Fragestellung - der technische Fortschritt "erfahrungsgemäß fast ausschließlich in einer Erhöhung der Arbeitsproduktivität" [2] äußert. Gerade die Arbeitsproduktivität aber ist, wie erwähnt, die für unsere Fragestellung einzig interessierende Größe; denn sie zeigt die vom technischen Fortschritt determinierte Relation zwischen gesamtwirtschaftlicher Produktionsmenge und mengenmäßigem Arbeitseinsatz.

Der technische Fortschritt im hier definierten Sinne ruft eine Vielzahl von Begleiterscheinungen im sozio-ökonomischen Bereich hervor [3], denen wir nicht nachzugehen haben. Unser Begriff der Produktivität impliziert eine rein technische Beziehung zwischen Faktoreinsatz und Produktionsmenge. Er ist somit frei von Wertungen. Normative Aussagen, wie etwa "die Industriegruppe I ist "produktiver" als die Industriegruppe II und deshalb von der Wirtschaftspolitik zu fördern", sind also nicht möglich.

---

1) Institut für Angewandte Wirtschaftsforschung Tübingen (L. Rall und T. Ihlau), Zweiter Arbeitsbericht zum Forschungsvorhaben "Theoretische und empirische Probleme des technischen Fortschritts", Tübingen 1968, S. 32.
2) W. Krelle, Verteilungstheorie, Tübingen 1962, S. 241.
3) Vgl. zum soziologischen Aspekt des technischen Fortschritts B. Lutz, Produktionsprozeß und Berufsqualifikation, Referat auf dem Deutschen Soziologentag in Frankfurt, April 1968; sowie auch G. Friedrichs, Technischer Wandel und Beschäftigung in der Bundesrepublik Deutschland, Gutachten im Auftrag der Kommission der Europäischen Wirtschaftsgemeinschaften, Abteilung Soziale Angelegenheiten, unveröffentlichtes Manuskript, Frankfurt (Main) 1967.

2. Die Steigerung der Arbeitsproduktivität als Maß des technischen Fortschritts

Wie bereits anklang, setzen wir die Steigerung der Arbeitsproduktivität mit technischem Fortschritt gleich. Dabei sind wir uns dessen bewußt, daß sich hier terminologische Probleme in reicher Vielfalt ergeben, aber wir sehen den Sinn einer Definition in ihrem instrumentalen Charakter. Der instrumentale Charakter erfordert bei unserer Aufgabenstellung, daß die Definition den mengenmäßigen Arbeitseinsatz sowie das sich mit dem technischen Wandel und dem wirtschaftlichen Wachstum insgesamt und strukturell verändernde Gütervolumen umschreibt.

Arbeitsparender technischer Fortschritt liegt vor, wenn der Arbeitsaufwand pro Produkteinheit sinkt. Dabei kann der Kapitalaufwand pro Produkteinheit zunehmen (aber nur so, daß die Lohnkostenersparnis nicht kompensiert wird), konstant bleiben oder abnehmen. Im kommenden soll angenommen werden, der Kapitalaufwand pro Produkteinheit, d.h. das Produkt aus Kapitalkostensatz und Kapitalkoeffizient,bleibe konstant.

Für den arbeitsparenden technischen Fortschritt ist, wie gesagt, der Arbeitsaufwand pro Produkteinheit maßgeblich; diese Größe muß sinken, wenn arbeitsparender technischer Fortschritt vorliegen soll. Der Arbeitsaufwand ist rein definitorisch gleich dem Produkt aus Lohnsatz und Arbeitseinsatz, so daß die folgende Beziehung gilt:

$$\frac{\text{Arbeitsaufwand}}{\text{Produktionsmenge}} = \frac{\text{Lohnsatz (l) x Arbeitseinsatz (A)}}{\text{Produktionsmenge (Y)}}$$

Bei konstantem Lohnsatz (1) muß der Arbeitseinsatz pro Ausbringungseinheit, d.h. der Arbeitskoeffizient a, sinken. Der Arbeitskoeffizient ist nun nichts anderes als der reziproke Wert der Arbeitsproduktivität:

$$\frac{\text{Arbeitseinsatz (A)}}{\text{Produktionsmenge (Y)}} = \text{Arbeitskoeffizient a}$$

$$\text{Arbeitskoeffizient a} = \frac{1}{\text{Arbeitsproduktivität (P)}},$$

so daß man auch sagen kann: Arbeitsparender technischer Fortschritt liegt vor, wenn die Arbeitsproduktivität steigt. Der arbeitsparende technische Fortschritt kann wahlweise mithilfe des Arbeitskoeffizienten oder der Arbeitsproduktivität gemessen werden. Wir messen ihn an der Veränderung der Arbeitsproduktivität

$$P = \frac{Y}{A} \qquad (2)$$

und erhalten dann:

$$\frac{\text{Zunahme der Arbeitsproduktivität } (P_2 - P_1)}{\text{Arbeitsproduktivität } (P_1)} = \text{Wachstumsrate der Arbeitsproduktivität } (w_P)$$

Der uns interessierende Aspekt des technischen Fortschritts im empirischen Sinne [1] kommt, ziehen wir Formel (2) heran, in der Formel

$$w_P = \frac{w_Y - w_A}{1 + w_A} \qquad (3.1)$$

zum Ausdruck.

---

1) Vgl. hierzu Institut für Angewandte Wirtschaftsforschung Tübingen (L. Rall und T. Ihlau), Erster Arbeitsbericht ..., a.a.O., S. 5 f.

Darin bedeuten, entsprechend der Wachstumsrate der Arbeitsproduktivität w_P:

w_Y = Wachstumsrate der Produktionsmenge Y,
w_A = Wachstumsrate des Arbeitseinsatzes A.

Zieht man nun in Betracht, daß der Wert des Quotienten $\frac{1}{1+w_A}$ praktisch gegen Eins strebt, so kann man Formel (3.1) vereinfachen zu:

$$w_P = w_Y - w_A \qquad (3.2)$$

Es besteht Einigkeit darüber, daß die Arbeitsproduktivität P nur eine "arbeitsbezogene Produktivität" (G.Bombach) ausdrückt. Fragen der Verursachung der Produktivitätssteigerung und der Zurechnung der zusätzlichen Produktionsmenge bleiben dabei offen. In der Wachstumsrate w_P der Arbeitsproduktivität spiegelt sich nicht nur technischer Fortschritt im strengen Sinne, sondern zusätzlich eine Reihe weiterer Einflußgrößen wider [1]. Als Beispiele seien genannt: Verbesserungen der Arbeitsqualität durch Schulung, Übung und Gesundheitspflege, effizientere Unternehmensführung, Veränderungen der Branchenstruktur, Auslastungsschwankungen.

Dieses Bündel von Einflußgrößen ist bei der Interpretation aller unserer Ergebnisse zu beachten, die auf der Formel (2) beruhen. Den geschilderten komplizierten Zusammenhang zwischen Arbeitsproduktivität und technischem Fortschritt fassen wir in unserer Studie unter folgender Arbeitshypothese zusammen:

---

1) In der Literatur meist als "Abramovitz-Residual" bezeichnet.

"Der technische Fortschritt besteht darin, daß mit weniger Arbeit die gleiche Endproduktmenge erzeugt wird oder mit gleicher Arbeit eine größere; wie arbeits- oder kapitalintensiv die Produktion dabei ist, interessiert bei der Feststellung des technischen Fortschritts an sich überhaupt nicht, sondern ist eine Frage für sich" [1], - und dieser Frage gehen wir hier nicht nach.

---

1) W. Krelle, Verteilungstheorie, a.a.O., S. 242.

3. Freisetzung und Arbeitsmarkt

Der in einer Steigerung der Arbeitsproduktivität gemessene technische Fortschritt ist definitionsgemäß mit einer Einsparung von Arbeit relativ zum Produktwert identisch. Unter Freisetzung verstehen wir nun diejenige Arbeitsmenge, die wegen des technischen Fortschritts zur Erstellung einer zeitlich gleichbleibenden Produktmenge von Periode zu Periode weniger beschäftigt wird.

Diese theoretische Freisetzung deckt sich in aller Regel nicht mit der tatsächlich beobachtbaren Freisetzung (Arbeitslosigkeit durch technischen Fortschritt), da die Produktion tatsächlich wächst. Die Arbeitskräfte werden also nicht freigesetzt, wie es bei konstanter Produktion und abnehmenden Arbeitskoeffizienten der Fall wäre, sondern weil die Produktion zunimmt, können sie trotz sinkendem Arbeitsaufwand pro Produkteinheit weiter beschäftigt werden.

Ein Zahlenbeispiel mag dies verdeutlichen. Vor der Einführung des technischen Fortschritts werde ein Produkt von Y = 100 mit K = 200 Kapital - und A = 100 Arbeitseinheiten erstellt. Der Kapitalkoeffizient K/Y beträgt also 2, der Arbeitskoeffizient A/Y ist 1. Der technische Fortschritt lasse nun den Kapitalkoeffizienten unverändert, senke aber den Arbeitskoeffizienten auf 0,95. Wird weiterhin ein Produkt von 100 erzeugt, so braucht man dazu nur noch 95 Arbeitseinheiten (bei konstantem Kapitaleinsatz), 5 Arbeitseinheiten werden also freigesetzt. Kann dagegen die Produktion auf rd. 105 Einheiten gesteigert werden, so können - bei einem auf 210 zu steigernden Kapitaleinsatz - alle Arbeitskräfte weiterhin beschäftigt werden. Der Freisetzungseffekt des arbeitsparenden technischen Fortschritts wird demnach durch das wirtschaftliche Wachstum kompensiert.

Um die theoretische Freisetzung, denn um eine solche handelt es sich hier, empirisch zu erfassen, ist also die folgende Berechnung durchzuführen:

> Welche Freisetzung von Arbeitskräften hätte sich in einer Branche ergeben, wenn sich die Senkung des Arbeitskoeffizienten voll ausgewirkt hätte, also nicht durch die Steigerung der Produktion kompensiert (oder u.U. überkompensiert) worden wäre?

Die so ermittelte Freisetzung ist, um dies nochmals zu betonen, theoretischer Natur. Sie wird jedoch zu einer tatsächlichen Freisetzung, wenn die Wachstumsrate der Produktion ein bestimmtes, errechenbares Minimum nicht erreicht. (In dem obigen Zahlenbeispiel beträgt diese notwendige Wachstumsrate rd. 5 %). Man kann demnach angeben, welche Wachstumsrate der Produktion zur Aufrechterhaltung der Vollbeschäftigung notwendig ist. Selbstverständlich ergeben sich Modifikationen dieser Berechnung, wenn z.B. das Wachstum des Arbeitspotentials selbst berücksichtigt wird oder wenn man der Tatsache Rechnung trägt, daß der technische Fortschritt einen Wandel in der Qualität der benötigten Arbeitskräfte mit sich bringt.

Knüpfen wir an unsere bisherigen Formeln an, so muß für kausale Aussagen über die Abhängigkeit der Freisetzung vom technischen Fortschritt und vom Wachstum des Produktionsvolumens die Arbeitsproduktivität P als quasi-technische Beziehung und somit der Arbeitskoeffizient a als rudimentäre Produktionsfunktion verstanden werden. Die von der Theorie dagegen vorzubringenden Bedenken sind mithilfe des verfügbaren amtlichen statistischen Materials [1] nicht auszuräumen. Dem statistischen Material haften - theoretisch gesehen - deshalb Fehler an, weil nur tatsächlicher, dagegen jedoch nicht auch potentieller Faktoreinsatz und potentielle Produktionsmenge beobachtbar sind.

1) Vgl. Kapitel III.

Bezeichnen wir die in der Dimension "Beschäftigte" gemessene theoretische Freisetzung mit F_t^*, die tatsächliche Freisetzung in der Periode t mit F_t, den Arbeitseinsatz in der Periode t mit A_t und den bei veränderter Produktionstechnik, aber gleicher Produktionsmenge theoretisch erforderlichen Arbeitseinsatz mit A_t^*, so gilt

$$F_t^* = A_{t-1} - A_t^* \qquad (4.1)$$

Der Arbeitseinsatz A_t ist identisch mit dem Produkt aus dem Arbeitskoeffizienten a_t und der Produktionsmenge Y_t. Damit läßt sich, unter der gemachten Annahme gleicher Produktionsmenge ($Y_t = Y_{t-1}$), Formel (4.1) umformen zu:

$$\begin{aligned} F_t^* &= a_{t-1}Y_{t-1} - a_tY_{t-1} \\ &= (a_{t-1} - a_t)\, Y_{t-1} \qquad (4.2) \end{aligned}$$

Entsprechend gilt für die tatsächliche Freisetzung, wobei die Hypothese gleicher Produktionsmenge aufgegeben werden muß ($Y_t \neq Y_{t-1}$):

$$F_t = A_{t-1} - A_t \qquad (5.1)$$

oder

$$F_t = a_{t-1}Y_{t-1} - a_tY_t$$

bzw., da die Wachstumsrate der Produktionsmenge $w_{Y_t} = \frac{Y_t}{Y_{t-1}} - 1$ ist:

$$F_t = \left[a_{t-1} - a_t(1 + w_{Y_t})\right] Y_{t-1} \qquad (5.2)$$

Als bereits mit dem Begriff "technischer Fortschritt" ausgesprochene Nebenbedingung gilt stets, daß die Arbeitsproduktivität der Vorperiode kleiner sein muß als die Arbeitsproduktivität der jeweiligen Periode: $P_{t-1} < P_t$ und somit, da der Arbeitskoeffizient a_t, wie festgestellt, der reziproke Wert der Arbeitsproduktivität ist: $a_{t-1} > a_t$.

Die Wirkungen des technischen Fortschritts über die Freisetzung auf den Arbeitsmarkt können unterschiedlicher Natur sein. Der Arbeitsmarkt als Ort des Austausches zwischen Angebot an und Nachfrage nach Arbeit hat eine - wenn auch durch die Tarifgestaltung eingeschränkte - Preis-(Lohn) und eine Mengenseite. Uns interessieren aber nur die mengenmäßigen Auswirkungen des technischen Fortschritts auf den Arbeitsmarkt.

Auf dem Arbeitsmarkt wird die institutionell festgelegte durchschnittliche jährliche, monatliche, wöchentliche, äußerstenfalls tägliche Arbeitszeit eines Menschen "gehandelt". Nachfrage nach und Angebot an Arbeit erfolgen in Personen. Deshalb messen wir den Arbeitseinsatz und die Freisetzung in Kopfzahlen.

III. Das statistische Ausgangsmaterial

1. Die Messung von Produktionsergebnis und Arbeitseinsatz

Die Variablen, die wir aufgrund unserer theoretischen Erwägungen für die Analyse der Auswirkungen des technischen Fortschritts auf den Arbeitsmarkt unbedingt mit empirischem Gehalt belegen müssen, sind

für die Bestandsaufnahme:

a) Die Wertschöpfung als Ausdruck des Produktionsergebnisses;

b) die Zahl der Beschäftigten als Ausdruck des mengenmäßigen Arbeitseinsatzes;

c) die Zahl der Arbeitslosen und offenen Stellen als Ausdruck für die Anspannung des Arbeitsmarktes;

für die Projektion:

d) Eine Prognose der Bevölkerung (Geburtenüberschuß und Wanderungen) und der Erwerbsquote.

Alle diese Variablen müßten sowohl sektoral als auch regional als Zeitreihe für 1955 bis 1967 vorhanden sein. Zu diesen sachlichen Anforderungen an das Zahlenmaterial kommen noch statistisch-methodische Nebenbedingungen hinzu, die im Grunde genommen eine Binsenweisheit sind: Statistische Unterlagen müssen in ihrer sachlichen, räumlichen und zeitlichen Abgrenzung übereinstimmen, um miteinander vergleichbar und kombinierbar zu sein [1]. Dennoch bereiten gerade diese Nebenbedingungen dem Empiriker häufig nahezu unüberwindbare Schwierigkeiten. Dies zeigt sich auch hier, wenn man die Wunschliste der Variablen anhand unserer Tabelle 1 mit der statistischen Realität konfrontiert.

---

1) Vgl. z.B. H. Kellerer, Statistik im modernen Wirtschafts- und Sozialleben, Reinbek bei Hamburg 1960, S. 19.

Tabelle 1

Auszug aus der Materialübersicht zur Untersuchung "Auswirkungen des technischen Fortschritts auf die Arbeitsmarktentwicklung in Baden-Württemberg"

Variable			Region		Sektor	Zeit														Quelle
Nr.	Name	Dimension	K	L	Anzahl	55	56	57	58	59	60	61	62	63	64	65	66	67	Anmerkungen	
	<u>Produktionsergebnis</u>																			
1.1	<u>Bruttoinlandsprodukt</u> in jew. Preisen	Mio.DM	x	x	4			x	O	O	O	x	O	O	x	O	x			Gv./Mo.
1.2	Bruttoinlandsprodukt in jew. Preisen	1000 DM	5	x	10			x				x			x		x			La.
1.8	Bruttoinlandsprodukt in jew. Preisen	Mio.DM		x	4	x	x	x	x	x	x	x	x	x	x	x	x	x		BSt.
1.17	Bruttoinlandsprodukt in Preisen von 1954	Mio.DM		x		x	x	x	x	x	x	x	x	x	x	x	x	x		BSt.
2.1	<u>Nettoprodukt</u> (Wertschöpfung)	Mio.DM	x	x	4	x														St.Bd. 48
2.7	Nettoinlandsprodukt zu Faktorkosten	Mio.DM		x		x	x	x	x	x	x	x	x	x	x	x	x	x		BSt.
3.1	<u>Bruttoproduktionswert</u> der Industrie (h 10)	Mio.DM		x	X	x	x	x	x	x	x	x	x	x	x					Pb.
3.2	Bruttoproduktionswert der Industrie (h 10) (ohne Handelsware)	1000 DM	x	x									x							Jz.(La.)
4.1	<u>Nettoproduktionswert</u> der Industrie (h 10)	1000 DM		x	X								x						1954	Jz.
5.1	<u>Umsatz</u> der Industrie (h 10)	1000 DM	x	x		x	x	x	x	x	x	x	x	x	x	x	x	x		Jb.
5.6	Umsatz der Industrie (h 1)	1000 DM		x	X	x			x	x	x	x	x	x	x	x	x	x	jew.Sept.	Jb.
5.7	Umsatz der Industrie (b 10)	1000 DM		x	X	x	x	x	x	x	x	x	x	x	x	x	x	x		Jb.
5.9	Umsatz im Bauhauptgewerbe	1000 DM	x	x								x	x	x	x	x	x			Bh.
5.10	Umsatz im Handwerk	Mio.DM	x	x	VII	x							x							Hz.

Tabelle 1 (Fortsetzung)

Variable			Region		Sektor	Zeit														Quelle
Nr.	Name	Dimension	K	L	Anzahl	55	56	57	58	59	60	61	62	63	64	65	66	67	Anmerkungen	
	Arbeitseinsatz																			
6.1	Wohnbevölkerung	Pers.	x	x		x	x	x	x	x	x	x	x	x	x	x	x	x	jew.Dez.	Gz.
6.4	Wohnbevölkerung nach Altersgruppen	Pers.	x	x								6.6.								St.Bd.90
6.6	Wohnbevölkerung, Wanderungssalden	Pers.		x		x	x	x	x	x	x	x	x	x	x	x	x	x		St.Jb.
6.7	Wohnbevölkerung, Prognose	Pers.		x															bis 1985	Mo.
7.1	Wirtschaftsbevölkerung	Pers.	x	x		x		x				x			x		x			Gv./St. Bd.48
8.1	Erwerbspersonen	Pers.	x	x	8							6.6.								St.Bd.90
8.4	Arbeitnehmer	Pers.	x	x		O	O	O	O	O	O	O	O	O	(O)	(O)	(O)	(O)	Ja.Du.	Am.
9.1	Beschäftigte	Pers.	23	x	9			x	x	x	x	x	x							Am.
9.2	Beschäftigte	Pers.	x	x			O	O	O	O	O	O	O	O	(O)	(O)	(O)	(O)	Ja.Du.	Am.
9.3	Beschäftigte	Pers.	x	x	9									30.9.						Am.
9.10	Beschäftigte der Industrie (h 1)	Pers.	x	x		x	x	x	x	x	x	x	x	x	x	x	x	x	Ende Juni	Jb.
9.17	Beschäftigte der Industrie (h 10) (ohne Heimarbeiter)	Pers.		x	X								x		x				1954	Jz.
9.22.1	Beschäftigte im Bauhauptgewerbe	Pers.	x	x			x	x	x	x	x	x	x	x	x	x	x	x		Bh.
9.22.3	Beschäftigte im Handwerk	Pers.	x	x	VII		30.5.							31.5.						Hz.
9.28	Gastarbeiter	Pers.	17	x	9						x	x	x	x	x	x	x	x	Ende Juni	Am.
9.31	Berufspendler (Saldo)	Pers.	x	x				20.9.				6.6.		20.9.			20.9.			Reg.Präs./ St.Bd.90
10.1	Offene Stellen	Pers.	x	x		O	O	O	O	O	O	O	O	O	O	O	O	O	Ja.Du.	Am.
10.2	Offene Stellen	Pers.		x	9									x	x	x	x	x	Anf.Mai	Am.

Tabelle 1 (Fortsetzung)

Variable			Region		Sektor	Zeit														Quelle
Nr.	Name	Dimension	K	L	Anzahl	55	56	57	58	59	60	61	62	63	64	65	66	67	Anmerkungen	
11.1	Arbeitslose	Pers.	x	x		o	o	o	o	o	o	o	o	o	o	o	o	o	Ja.Du.	Am.
12.3	Arbeitsstunden im Bauhauptgewerbe	1000 Std.		x		x	x	x	x	x	x	x	x	x	x	x	x	x		Bh.
13.13	Löhne u. Gehälter im Bauhauptgewerbe	1000 DM		x		x	x	x	x	x	x	x	x	x	x	x	x	x		Bh.
	Sonstiges																			
15.1	Investitionen der Industrie (h 10)	1000 DM		x	X								x							Jz.
15.3	Investitionen der Industrie (h 50)	1000 DM		x	X								x		x	x	x			Jz.
16.1	Gewerbekapital	Mio.DM	x	x	6				o											St.Bd.117

Erläuterungen zu Tabelle 1:

In der Spalte "Region" bedeuten:

x	:	Zahlen sind für Kreise (K) oder Land (L) vorhanden.
5	:	Zahlen sind für 5 Kreise vorhanden.
17,23	:	Zahlen sind für 17 bzw. 23 Kreisgruppen vorhanden.

In der Spalte "Sektoren" bedeuten:

Arabische Ziffern	:	Anzahl der die Gesamtwirtschaft umfassenden Sektoren.
Römische Ziffern	:	Anzahl der bestimmte Teilbereiche umfassenden Sektoren.

In der Spalte "Zeit" bedeuten:

x bzw. Stichtage	:	Zahlen entstammen für diese Jahre unmittelbar amtlichen statistischen Quellen.
o	:	Zahlen wurden für diese Jahre aufgrund amtlicher statistischer Quellen vom IAW berechnet.
(o)	:	Vom IAW berechnete Zahlen, die aufgrund des amtlichen statistischen Materials inhärente Fehler aufweisen.

In der Spalte "Quelle" bedeuten [1]:

Am.	:	Arbeitsmarktdaten vom Landesarbeitsamt
Bh.	:	Bauhauptgewerbedaten vom La.
BSt.	:	Bevölkerungsstrukturdaten vom Statistischen Bundesamt
Gv.	:	Gemeinschaftsveröffentlichung der Statistischen Landesämter

1) Vgl. hierzu die genauen Quellenangaben im Literaturverzeichnis.

Gz.	:	Gemeindeverzeichnis vom La.
Hz.	:	Handwerksdaten vom La.
Ib.	:	Industrieberichterstattung vom La.
Iz.	:	Industriezensus 1963
La.	:	Statistisches Landesamt Baden-Württemberg
Mo.	:	Statistische Monatshefte Baden-Württemberg
Pb.	:	Produktionsberichterstattung vom La.
Reg.Präs.	:	Regierungspräsidium Südwürttemberg-Hohenzollern
St. Bd...	:	Band Nr. .. der Statistik von Baden-Württemberg
StJB	:	Statistisches Jahrbuch für die Bundesrepublik Deutschland

Bei der Diskussion des vorhandenen statistischen Materials wollen wir die genannten Nebenbedingungen nur erörtern, soweit sie nicht zur sektoralen und regionalen Aufgliederung gehören, die unsere Fragestellung erfordert und gesondert darzulegen ist.

Die Nebenbedingung der zeitlichen Kongruenz der Daten ist umfassender. Es erschiene zwar verführerisch und vor allem sehr arbeitsparend, von der erwünschten Zeitreihe - sowohl sektoral als auch regional - jeweils nur den ersten und den letzten Wert zu erheben. Der Vergleich von zwei Zeitpunkten aber ist für eine Bestandsaufnahme zum Zwecke der Projektion nahezu nutzlos, weil die so implizit bereits vorgegebenen und aus dem Material wieder zu entnehmenden Veränderungsraten zum einen zufalls- und zum anderen durchschnittsabhängig sind (Konjunkturphase und Trend). Gerade für eine Bestandsaufnahme zum Zwecke der Projektion ist die Frage von Bedeutung, ob dem komparativ-statischen Vergleich zwischen Ausgangs- und Endpunkt einer zeitlichen Entwicklung ein in dieser Richtung gleichmäßig fortschreitender Prozeß entspricht[1].

Nach der eher allgemein gehaltenen Erörterung der zeitlichen Nebenbedingung wenden wir uns nunmehr den einzelnen Variablen zu, wobei wir jeweils auf die spezifischen Probleme dieser Bedingung einzugehen haben.

a) Die Wertschöpfung als Ausdruck des Produktionsergebnisses

Unabhängig davon, ob wir unmittelbare Angaben über die Wertschöpfung oder nur hilfsweise Größen aus der amtlichen Statistik erhalten, ist vorweg die Frage der Preisbereinigung zu stellen. Wollte man den Produktwert Y[2] in konstanten und nicht

1) Vgl. P. A. Samuelsons "correspondence principle" nach A. E. Ott, Einführung in die dynamische Wirtschaftstheorie, Göttingen 1963, S. 23.

2) Produktionswerte erfüllen hilfsweise die Funktion von Mengenindices. Diese wären notwendig, um die verschiedenartigen Produktionsmengen in einer einzigen Mengengröße zusammenzufassen.

in jeweiligen Preisen messen, so wären spezifische Preisindices für die Produktionswerte jeder Region (K, L) und jedes Wirtschaftszweiges (4, 6, 8, 9, 10, VII, X) bei Berücksichtigung von zeitlichen Strukturveränderungen aller Art erforderlich. Die Indices stehen uns nicht zur Verfügung. Deshalb müssen wir auf die Messung des Produktionsergebnisses in konstanten Preisen und die daraus abzulesende "reale" Produktions- und Produktivitätsänderung verzichten.

Damit erfährt die quasi-technische Sicht der Produktivität P und des Arbeitskoeffizienten a - neben den nicht quantifizierbaren Auslastungsschwankungen - eine zusätzliche materialbedingte Lockerung.

Angaben über die jährlich von den einzelnen inländischen Wirtschaftsbereichen sowie Regionen erbrachte Wertschöpfung, d.h., das Nettoinlandsprodukt zu Faktorkosten, wären die anzustrebenden Zähler bei unserer Produktivitätsanalyse. Diese liegen auf Kreisebene nur für ein Jahr und vier Sektoren, für das Land allerdings in einer durchgehenden Zeitreihe vor, die jedoch sektoral nicht aufgespalten ist (vgl. Variable 2.1 und 2.7 in Tabelle 1).

In hinreichend tiefer regionaler und sektoraler Aufspaltung sowie zeitlicher Vollständigkeit verfügen wir über das Bruttoinlandsprodukt zu Marktpreisen, das - qualitativ gesehen - als nächstbeste Annäherung an die anzustrebenden Wertschöpfungszahlen gelten kann. Die für unsere Themenstellung zu ermittelnde Leistung wird dann zwar um die Abschreibungen und den Saldo aus indirekten Steuern abzüglich Subventionen überhöht; sie könnte jedoch bei zeitlich relativ konstanten Abschreibungs- und Subventionssätzen sowie Sätzen indirekter Steuern zu hinreichend aussagefähigen Veränderungsraten führen. Ob diese Annahme für die Zeit von 1955 bis 1967 realistisch ist, soll ein Zahlenvergleich zwischen Nettoinlandsprodukt zu Faktorkosten und Bruttoinlandsprodukt zu Marktpreisen je Beschäftigten erweisen. Zu bemerken ist noch, daß wir die Zeitreihe des Bruttoinlandsprodukts zu Marktpreisen für Landkreise und vier Sektoren mit Hilfe eigener Schätzungen vervollständigen mußten (vgl. Variable 1.1 bis 1.17 in Tabelle 1).

Die Aussagekraft der nur in vier Sektoren aufgeschlüsselten Regionaldaten für das Bruttoinlandsprodukt gilt es sektoral zu erhöhen. Aus diesem Grunde, und um die Hypothese einer quasi-technischen Produktivität zu untermauern, streben wir eine weitere Aufspaltung der Wirtschaftsbereiche in technisch möglichst homogene Sektoren mithilfe anderer statistischer Näherungswerte für den Produktwert Y an.

Der Nettoproduktionswert der Industrie (Variable 4.1), der dem Bruttoproduktionswert minus Materialverbrauch und vergebener Lohnarbeit entspricht, liegt nur für ein Jahr vor. Aus ähnlichen Gründen scheitert die Verwendung des Bruttoproduktionswertes der Industrie (Kreisdaten insgesamt nur für ein Jahr, Zeitreihe für zehn Sektoren auf Landesebene bricht 1964 ab; vgl. Variable 3.1 und 3.2 in Tabelle 1). Was bleibt, sind Umsatzangaben für die Industrie, das Bauhauptgewerbe und das Handwerk. Sie müssen die fehlenden Angaben über Bruttoproduktionswerte ersetzen, wobei anzumerken ist, daß im Jahre 1962 laut Industriezensus der Umsatz vom Bruttoproduktionswert wegen Bestandsveränderungen an halbfertigen und fertigen Erzeugnissen sowie selbsterstellten Anlagen um nur 0,6 % abwich.

Die oben genannte statistisch-methodische Kongruenzbedingung ist jedoch auch hier nur unvollkommen erfüllt. So sind die Industrieumsätze insgesamt für die Kreise, sektoral jedoch nur für das Land in einer vollständigen Zeitreihe ausgewiesen. Das Bauhauptgewerbe bildet für sich bereits einen relativ homogenen Sektor; Umsatzangaben stehen für die Kreise in den Jahren 1961 bis 1966 zur Verfügung. Im Handwerk schließlich beschränken sich unsere Umsatzzahlen auf die beiden Stichjahre 1955 und 1962. Für den durch Umsatzzahlen weiter aufgefächerten Bereich der Industrie erfährt die Hypothese quasi-technischer Produktivität erneut eine materialbedingte Aufweichung durch das Hauptbeteiligtenkonzept. Die Umsätze (der einzelnen Unternehmen) werden von der amtlichen Statistik bei diesem Konzept denjenigen Industriesektoren zugerechnet, deren Umsatzanteil überwiegt [1]. Die Verzerrung der sektoralen Umsatzzuordnung sucht das Beteiligtenkonzept zu überwinden. Nach diesem Prinzip erstellte Zeitreihen weist die amtliche Statistik nur für das Land (in zehn Industriegruppen) aus.

b) Die Zahl der Beschäftigten als Ausdruck des mengenmäßigen Arbeitseinsatzes

Wie bereits ausgeführt [2], besteht unsere Zielsetzung nicht darin, unter der Annahme wie immer auch gearteter Produktionsfunktionen und streng theoriebezogener Maße den technischen Fortschritt in Baden-Württemberg zu quantifizieren. Es bleibt uns deshalb erspart und darüber hinaus vom Ziel unseres Gutachtens [3] her verwehrt, mithilfe gewagter Annahmen aus den in der amtlichen Statistik vorhandenen Kopfzahlen einen Arbeitseinsatz in produktionstechnisch effizienten Stunden zu berechnen.

Den Hintergrund für das Beschäftigtenpotential bildet die Wohnbevölkerung, ihr Altersaufbau und die Erwerbsquote. Sie bestimmt das Bruttoinlandsprodukt in zweifacher Weise: von der Einkommensentstehungsseite über das Angebot an Arbeit, von der Einkommensverwendungsseite über die Nachfrage. Daraus folgt, daß Zähler und Nenner unseres Produktivitätsmaßes nicht unabhängig voneinander sind.

---

1) Mit diesem Mangel sind - nebenbei bemerkt - auch die vom DIW für die Bundesrepublik veröffentlichten sektoralen Kapitaldaten (vgl. S. 6) der Industrie behaftet.
2) Vgl. S. 5 f.
3) Vgl. S. 1 und S. 14.

Der unmittelbare Einfluß des Bevölkerungspotentials auf den Nenner A erscheint uns aber ungleich stärker als der mittelbare auf den Zähler Y, der letztlich nur die tatsächliche Auslastung der Kapazitäten bestimmt. Unterstellen wir intersektoral, interregional und intertemporal ungefähr gleichbleibende Auslastungsgrade und Auslastungsschwankungen, so kann der mittelbare Einfluß auf Y vernachlässigt und unsere Hypothese einer quasi-technischen Produktivität P auch vom theoretischen Standpunkt aus immer noch aufrechterhalten werden.

Veränderungen der Wohnbevölkerung setzen sich aus natürlicher Bevölkerungsvermehrung (Geburtenüberschuß) und Wanderungsgewinn (Saldo der Binnenwanderung und Saldo der Außenwanderung, darunter insbesondere Gastarbeiter) zusammen. Für die Vergangenheit verfügen wir über alle genannten Komponenten (vgl. z.B. Variable 6.1, 6.4 und 6.6 des Auszuges aus unserer Materialübersicht in Tabelle 1).

Bei interregionalen Produktivitätsvergleichen spielt die Pendelwanderung zwischen den Regionen eine wesentliche Rolle. Regionale Pendlersalden sind ein Ausdruck für die regionale Divergenz von Arbeitsnachfrage und Arbeitsangebot (Unterschied zwischen örtlich nachgefragter und angebotener Menge an Arbeit). Regionen mit Auspendlerüberschuß sind relativ zur Bevölkerungszahl gewerblich unterentwickelte Gebiete. Sie verfügen aber - bei unterstelltem kontinuierlichem wirtschaftlichen Wachstum des Landes - im Vergleich zu anderen Regionen über höhere ungenutzte Reserven des beschränkt verfügbaren, zunehmend knapperen und deshalb die künftigen Wachstumsmöglichkeiten begrenzenden Faktors Arbeit. In Regionen mit Einpendlerüberschuß ist das lokale Arbeitskräftepotential erschöpft. Die Wachstumsmöglichkeit vom Faktorangebot her besteht in Zuwanderungen (von Erwerbspersonen, auch Gastarbeitern), Erhöhung der Erwerbsquote sowie arbeitssparendem technischen Fortschritt.

Mithilfe der Wirtschaftsbevölkerung wird versucht, die Pendelwanderungen zwischen einzelnen Regionen zu berücksichtigen. Sie ist die um den doppelten Pendlersaldo korrigierte Wohnbevölkerung und ordnet in etwa den Beschäftigten die Bevölkerungszahl zu, aus der die Erwerbstätigkeit in der jeweiligen Region resultiert. Sie stellt die durch den Arbeitseinsatz an die Region gebundene und aus ihr ernährte Bevölkerung dar (vergleiche Variable 7.1 in Tabelle 1). Die Wirtschaftsbevölkerung kann somit als hilfsweiser Arbeitseinsatz zur Berechnung regionaler Produktivitäten nach Formel (2) dienen.

Streng definitionsgemäße regionale und sektorale Arbeitsproduktivitäten erfordern im Nenner Beschäftigtenzahlen. Regionale Beschäftigtenzahlen weist die amtliche Statistik für alle Sektoren im Jahre 1961, für die Industrie und das Bauhauptgewerbe außerdem in kompletter Zeitreihe, für das Handwerk dagegen nur zum 30.5.1956 und 31.5.1963 aus. Die vom Landesarbeitsamt Baden-Württemberg für Nebenstellenbezirke der Arbeitsämter ermittelten Daten wurden von uns mittels selbsterstellter Schlüssel in Beschäftigtenzahlen für die Landkreise umgerechnet. Die so gewonnenen Beschäftigtenzahlen der Jahre 1964 bis 1967 haben jedoch einen begrenzten Aussagewert, weil sie auf der 1964 aufgelösten amtlichen Beschäftigtenkartei beruhen.

Sektoral verfügen wir für das unmittelbare Pendant unserer Bruttoinlandsproduktszahlen auf Kreisebene nur im Jahre 1961 über Angaben der in den vier Wirtschaftszweigen Beschäftigten. Die Industriebeschäftigten sind für zehn Industriegruppen lediglich für das Land in einer vollständigen Zeitreihe vorhanden, die Handwerksbeschäftigten für sieben Handwerksbereiche auf Kreisebene an den beiden genannten Stichtagen.

Welche Schwierigkeiten die genannte statistisch-methodische Nebenbedingung der sachlich übereinstimmenden Abgrenzung schon bei einer Variablen bereitet, sei anhand der Beschäftigtenzahlen gezeigt, die verschiedenen amtlichen Quellen entstammen.

So zeigt ein Vergleich der Beschäftigtenangaben für das Land Baden-Württemberg insgesamt und für drei Sektoren, die selbst wiederum Aggregate unterschiedlich abgegrenzter Teilbereiche sind, im Jahre 1961 folgende Unterschiede:

Tabelle 2

Beschäftigtenangaben (in Tausend) bei unterschiedlichen statistischen Quellen

Wirtschaftsbereiche	Quelle		
	Landesarbeitsamt	Statistische Landesämter	Statistisches Bundesamt
Land- u. Forstwirtschaft	64	516	601
Warenproduzierendes Gewerbe	1.993	2.167	2.162
Dienstleistungen	1.021	1.318	1.267
Insgesamt	3.078	4.001	4.030

Der Grund für die Abweichungen zwischen den Zahlen des Landesarbeitsamtes und denen der statistischen Ämter ist in der unterschiedlichen Abgrenzung des Begriffes "Beschäftigter" zu sehen. In den Arbeitsmarktdaten fehlen die Inhaber, mithelfenden Familienangehörigen und die freiberuflich Tätigen, also ein für volkswirtschaftliche Produktivitätsanalysen wesentlicher Bestandteil des tatsächlich produktiven Arbeitseinsatzes. Ein sektoral unterschiedlicher Anteil dieser nicht erfaßten Beschäftigten führt bei Verwendung der Landesarbeitsamtszahlen zu Verzerrungen bei Querschnittsvergleichen. Diese Verzerrungen verlieren bei der Berechnung von Wachstumsraten der Produktivität (technischer Fortschritt) in dem Maße an Gewicht, wie die innersektorale Quote der unselbständig Beschäftigten konstant bleibt.

Die regionale Aufspaltung der Arbeitsmarktdaten kann als Beispiel für die Problematik der räumlich übereinstimmenden Abgrenzung gelten. Unter dieser statistisch-methodischen Nebenbedingung mußten wir die Beschäftigtenangaben für Nebenstellenbezirke der Arbeitsämter den Produktwertangaben für Stadt- und Landkreise anpassen [1].

c) Die Zahl der Arbeitslosen und offenen Stellen als Ausdruck für die Anspannung des Arbeitsmarktes

Die Relation zwischen der Zahl der Arbeitslosen und den offenen Stellen ist ein Indikator für den Auslastungsgrad des Faktors Arbeit, wobei die zu verzeichnende Pendelmobilität ausgeklammert ist. Der regionale Auslastungsgrad des Faktors Arbeit wäre somit in dem Quotienten aus offenen Stellen plus Einpendlerüberschuß und Arbeitslosen plus Auspendlerüberschuß zu sehen.

Die Gastarbeiter, die sowohl in den Beschäftigtenzahlen als auch in der Wohn- und Wirtschaftsbevölkerung enthalten sind, stellen für den regionalen Arbeitsmarkt "stille Reserven" an offenen Stellen für heimische Arbeitskräfte und eine konjunkturell leicht mobilisierbare Angebotsspitze dar. Sie lassen im Querschnittsvergleich die regional besonders stark und vermutlich auch chronisch angespannten Gebiete des Arbeitsmarktes erkennen, deren Wachstumsmöglichkeiten vom Arbeitskräftepotential her ausgeschöpft sind. Als Nebenergebnis ist bereits in diesem Zusammenhang festzuhalten, daß Frei-

1) Vgl. Kapitel III, Abschnitt 3, S.40.

setzung für bestimmte Regionen und Sektoren unter Wachstumsüberlegungen notwendig und wünschbar sein kann.

Für die Kreise liefert die amtliche Statistik nun bedauerlicherweise weder Angaben über Arbeitslose, noch über offene Stellen, noch über Gastarbeiter. Die Zahlen der Arbeitslosen und der offenen Stellen schätzten wir aus den räumlich anders gegliederten Arbeitsamtsdaten. Die Gastarbeiterzahlen - eine in den Beschäftigtenzahlen verborgene Anspannungskomponente des regionalen Arbeitsmarktes - konnten für die Kreise nicht ermittelt werden, weil die Arbeitsmarktdaten nur auf der Stufe der Arbeitsamtsbezirke vorliegen. Eine dennoch versuchte Umgliederung war nur für siebzehn Kreisgruppen möglich. Die Verwendung dieser Zahlen für unsere regionale Interpretation scheidet somit aus.

Eine Ursachenforschung für die regionale Arbeitsmarktsituation müßte sich erstrecken auf eine sektorale Aufschlüsselung von offenen Stellen und Gastarbeitern, eine berufsbezogene Analyse des intersektoralen Mobilitätsgrades der Arbeitslosen und eine Untersuchung der leistungsmäßigen Homogenität (Alter und Ausbildung) des Arbeitseinsatzes. Die Ursachenforschung bleibt uns versagt. Sie ist vom Material her nicht möglich, darüberhinaus von unserer Themenstellung her auch nicht erforderlich.

Merkwürdig berührt den Empiriker im Zusammenhang mit dem festgestellten allgemeinen Datenmangel die Tatsache, daß auf dem Gebiet der Arbeitsmarktstatistik offensichtlich wegen zwischenamtlicher Kommunikationsschwierigkeiten bisweilen Doppelarbeit geleistet wird. So etwa werden die Erwerbslosenzahlen von den statistischen Ämtern auf Landesebene aus Mikrozensusergebnissen hochgerechnet, obwohl die Landesarbeitsämter präzise Arbeitslosenzahlen laufend veröffentlichen. Die Ergebnisse zwischen der Stichprobe und der Vollerhebung weichen zwangsläufig voneinander ab.

d) Prognose der Bevölkerung (Geburtenüberschuß und Wanderungen) und der Erwerbsquote

Der letzte Punkt unseres Minimalprogramms der benötigten Variablen umfaßt ein ganzes Bündel von Daten. Es soll dazu dienen, der Wirtschaftspolitik Anhaltspunkte zu geben, welche langfristigen Wachstumsmöglichkeiten bei anhaltendem technischen Fortschritt vom Engpaßsektor des Arbeitsangebots her bestehen und unter dem Ziel der Vollbeschäftigung auch auszuschöpfen sind. Abgesehen von der Bedingung einer "sozialgerechten" Einkommensverteilung wäre damit eine Voraussetzung für die "Maximierung" des Sozialprodukts erfüllt.

Demnach bestehen zwei Gründe dafür, Projektionen des Wachstums, des technischen Fortschritts und der Freisetzung an Prognosen des Bevölkerungs- und Arbeitskräftepotentials auszurichten. Einmal spricht der Charakter einer "Naturgegebenheit" der Bevölkerungsentwicklung für ein solches Vorgehen, zum anderen das Ziel der Wirtschaftspolitik, eine gegebene Bevölkerung "in optimaler Weise mit Gütern und Leistungen" zu versorgen [1]. Außerdem bringt dieses Verfahren den Vorteil mit sich, daß wir die gerade im Hinblick auf nicht absehbare Produktneuerungen [2] und damit verbundene Nachfrageveränderungen weit weniger abschätzbare Entwicklung des Produktionsergebnisses nicht zum tragenden Element unserer Vorausschau bis zum Jahre 1975 machen.

Eine Prognose der Wohnbevölkerung für Baden-Württemberg, die sich auf die "natürliche" Komponente des Bevölkerungswachstums (Geburtenüberschuß) beschränkt, wurde vom statistischen Landesamt bis 1985 veröffentlicht (vgl. Variable 6.7 in Tabelle 1). Die bei unserer Themenstellung so dringend erforderliche Untergliederung dieser Prognose für die Stadt- und

1) H. Giersch, Allgemeine Wirtschaftspolitik, a.a.O., S. 106.
2) Vgl. Fall (1) des technischen Fortschritts nach der Definition von A. E. Ott, hier S. 4.

Landkreise wird vom Statistischen Landesamt zwar geplant [1], im gegenwärtigen Zeitpunkt jedoch mit folgender Begründung abgelehnt: "Eine generelle Untergliederung der Vorausschätzungen nach Kreisen erscheint angesichts der oft willkürlichen und - im Sinne von Vorausschätzungen - zusammengehörende Gebiete zerschneidenden, nicht zusammengehörende Gebiete zusammenfassenden Kreisgrenzen, der oft recht kleinen Einwohnerzahlen in den Kreisen (Landkreis Stockach am 31.12.1967 nur 32 000 Einwohner, Landkreis Künzelsau 33 000 Einwohner) und angesichts der Schwierigkeiten in der Erstellung echter Eingabedaten für Kreise (nicht Daten für übergeordnete Gebiete, ggf. anteilig untergliedert) als nicht vertretbar" [2].

Wie ein Blick in die Vergangenheit zeigt, wurde die Entwicklung der Gesamtbevölkerung Baden-Württembergs in den letzten zehn Jahren aus drei Quellen gespeist:

"1) dem jährlichen Geburtenüberschuß von 60 000 bis 80 000 Personen;
2) dem Wanderungsgewinn an Deutschen, der sich nach 1961 auf 15 000 bis 20 000 Personen jährlich belief;
3) dem stark konjunkturabhängigen Wanderungssaldo der Ausländer, der in den letzten zehn Jahren zwischen - 57000 und + 77 000 Personen schwankte" [3].

Gerade die nicht einmal in der Prognose für Baden-Württemberg insgesamt enthaltenen beiden letztgenannten Quellen der Bevölkerungszunahme sind für Projektionen regionaler Arbeitsmarktentwicklungen von zweifacher Bedeutung. Erfahrungsgemäß ist die Erwerbsquote bei den genannten Wanderungsströmen vergleichsweise hoch, außerdem induzieren Wachstum, Konjunktur und technischer Fortschritt in Baden-

---

1) G. Gröner u. P. Steinki, Voraussichtliche Entwicklung der Bevölkerung in Baden-Württemberg bis zum Jahre 1985; in: Statistische Monatshefte Baden-Württemberg, XVI. Jahrgang (1968), H. 6, S. 154.
2) Brief des Statistischen Landesamtes Baden-Württemberg vom 18.10.1968.
3) G. Gröner u. P. Steinki, Voraussichtliche Entwicklung..., a.a.O., S. 154.

Württemberg selbst wiederum die Wanderungen.

Bei der von uns notgedrungen versuchten Prognose des Arbeitspotentials der Kreise mußten wir von der Prognose des Statistischen Landesamtes für das natürliche Bevölkerungswachstum sowie den in der Vergangenheit beobachteten Wanderungsbewegungen und Erwerbsquoten ausgehen.

Nachdem wir nun die von der Theorie her geforderten Minimaldaten mit den Gegebenheiten der amtlichen Statistik konfrontiert haben, wollen wir noch kurz auf einige Gründe hinweisen, die unserer Meinung nach für die zumindest partielle Misere der amtlichen Statistik aus der Sicht ihrer Konsumenten verantwortlich zu machen sind.

Da sind einmal die verschiedenen amtlichen Lieferanten des statistischen Materials zu nennen. In unserem Falle waren dies das Statistische Landesamt Baden-Württemberg, das Statistische Bundesamt, das Landesarbeitsamt Baden-Württemberg und das Regierungspräsidium Südwürttemberg-Hohenzollern. Daraus ergeben sich, wie bereits mehrfach anklang, bei der sachlichen, räumlichen und zeitlichen Abstimmung der Variablen nicht unerhebliche Schwierigkeiten.

Der Wirtschaftsforscher würde es begrüßen, wenn

1. historisch und amtsindividuell gewachsene Unterschiede der Definitionen beseitigt würden,
2. bei regionalen Erhebungen dieselben Gebietsabgrenzungen zugrunde lägen und
3. die vorhandenen Sektorengliederungen so verändert würden, daß sie ineinander überführbar sind.

Eine weitere Ursache für den Mangel an sektoral und regional breit aufgeschlüsselten Daten ist in den Geheimhaltungsvorschriften der amtlichen Statistik zu sehen. Sie verhindern selbst bei wissenschaftlichen Gutachten, die nur als interne Entscheidungshilfen für Ministerien bestimmt sind, die Auswertung von erhobenem Zahlenmaterial. So können z.B. aus dem

Material des Industriezensus 1963 "nach Prüfung der Geheimhaltung in kreisweiser Gliederung nur Ergebnisse für die Industrie insgesamt (Betriebe mit 10 und mehr Beschäftigten) zur Verfügung gestellt werden, da der größte Teil der Industriegruppen in den Kreisen ausgepunktet werden müßte" [1]. Es wäre zu fordern, daß den - wie wir feststellen konnten - durchaus willigen amtlichen Statistikern die Möglichkeit geboten wird, von Fall zu Fall die Geheimhaltungsvorschriften großzügiger anzuwenden. Nur so könnte sich eine rationale Wirtschaftspolitik nach und nach weitere wichtige empirische Grundlagen erschließen.

1) Schreiben des Statistischen Landesamtes Baden-Württemberg vom 25.11.1968.

2. Die sektorale Gliederung

Jede empirische Analyse mit sektoralem Aussageziel hat eine problembedingte Seite und eine materialbedingte Seite. Beide sind voneinander nicht zu trennen. Erfordert die Themenstellung eine weite sektorale Auffächerung, so setzt das statistische Material dafür die Grenzen. Das notwendige Material muß eine unter der jeweiligen Zielsetzung hinreichende sektorale Aufgliederung ermöglichen [1].

Von der Problemseite her setzt unsere Arbeitshypothese einer quasi-technischen Produktivität die Bedingungen für die sektorale Gliederung. Eine technologische Interpretation unserer Arbeitsproduktivität P sowie des Arbeitskoeffizienten a gewinnt umso mehr an Glaubwürdigkeit, je weiter die sektorale Aufspaltung gelingt.

Betrachten wir nun die materialbedingten Gegebenheiten bei unserer Untersuchung. Je nach den benutzten Quellen und den erwünschten Variablen liegt, unter den temporalen und regionalen Nebenbedingungen, die Materialschwelle höher oder niedriger.

Vom verwendbaren Material her stehen uns folgende sektoralen Gliederungen zur Verfügung

für die Gesamtwirtschaft:

a) Die Gliederung in den Sozialproduktsberechnungen der Länder
   (Gv.-Gliederung) für die Wirtschaftsbereiche:

   1. Land- und Forstwirtschaft   Einschließlich Tierhaltung und Fischerei

---

1) Vgl. D. Schröder, Strukturwandel, Standortwahl und regionales Wachstum, prognos studien 3, Stuttgart-Berlin-Köln-Mainz 1968, S. 72.

2. Waren produzierendes Gewerbe	Energiewirtschaft und Bergbau (einschließlich Wasserversorgung), Verarbeitendes Gewerbe, Baugewerbe
3. Handel und Verkehr	Einschließlich Nachrichtenübermittlung
4. Übrige Dienstleistungen	Kreditinstitute und Versicherungsgewerbe, Wohnungsvermietung (einschließlich Nutzung von Eigentümerwohnungen), Sonstige Dienstleistungen (soweit von Unternehmen und freien Berufen erbracht), Gebietskörperschaften und Sozialversicherung sowie private Haushalte und private Organisationen ohne Erwerbscharakter.

b) Die Gliederung der Arbeitsmarktstatistik (Am.-Gliederung) für die Wirtschaftsabteilungen:

0	Landwirtschaft und Tierzucht, Forst- und Jagdwirtschaft, Gärtnerei, Fischerei
1	Bergbau, Gewinnung und Verarbeitung von Steinen und Erden, Energiewirtschaft
2	Eisen- und Metallerzeugung und -verarbeitung
3/4	Verarbeitende Gewerbe (ohne Eisen- und Metallverarbeitung)
5	Bau-, Ausbau-und Bauhilfsgewerbe
6	Handel-, Geld- und Versicherungswesen
7	Dienstleistungen
8	Verkehrswesen
9	Öffentlicher Dienst und Dienstleistungen im öffentlichen Interesse

Für einzelne Sektoren:

c) Die Gliederung auf der Grundlage der Industrieberichterstattung (Ib.-Gliederung) für die Industriegruppen [1]:

I	Bergbau (a: 21; b: 11)
II	Eisen- und NE-Metallerzeugung, Gießerei und Stahlverformung (a: 27, 28, 29, 30; b: 23)
III	Stahl-, Maschinen- und Fahrzeugbau (a: 31, 32, 33, 34, 35; b: 24)
IV	Elektrotechnik, Feinmechanik und Optik; Herstellung von Eisen-, Blech- und Metallwaren, Musikinstrumenten, Sportgeräten, Spiel- und Schmuckwaren (a: 36, 37, 38, 39; b: 25)
V	Chemische Industrie (einschließlich Kohlenwertstoffindustrie) und Mineralölverarbeitung (a: 22, 40, 42; b: 20)
VI	Gewinnung und Verarbeitung von Steinen und Erden; Feinkeramik und Glasgewerbe (a: 25, 51, 52; b: 22)
VII	Holz-, Papier- und Druckgewerbe (a: 53, 54, 55, 56, 57; b: 26)
VIII	Kunststoff-, Gummi- und Asbestverarbeitung (a: 58, 59; b: 21)
IX	Leder-, Textil- und Bekleidungsgewerbe (a: 61, 62, 63, 64; b: 27)
X	Nahrungs- und Genußmittelgewerbe (a: 68, 69; b: 28, 29)

---

1) a = Nummer der Industriegruppen nach der Systematik der Industrieberichterstattung,
b = Nummer der Unterabteilungen nach der Systematik der Wirtschaftszweige.

d) Die Gliederung des Handwerks (Hz.-Gliederung) nach der Kurzsystematik für die Handwerkszweige:

I	Bau- und Ausbauhandwerk
II	Metallverarbeitendes Handwerk
III	Holzverarbeitendes Handwerk
IV	Bekleidungs-, Textil- und Lederverarbeitendes Handwerk
V	Nahrungsmittelhandwerk
VI	Handwerk für Gesundheits- und Körperpflege sowie chemisches und Reinigungshandwerk
VII	Glas-,Papier-, keramisches und sonstiges Handwerk

Läßt man unterschiedliche Erhebungsmerkmale (z.B. Unternehmen, Betrieb; Beteiligten-, Hauptbeteiligtenkonzept), die temporalen und regionalen Nebenbedingungen außer acht, so ergibt sich bei einer Gegenüberstellung der aufgeführten Gliederungsschemata für drei Bereiche der Gesamtwirtschaft folgende Transformationstabelle:

Tabelle 3
Übersicht zur Ineinanderführung verschiedener sektoraler Gliederungen

Bereich	Sektorengliederung nach		
	Sozialprodukts-berechnungen der Länder Gv.-Gliederung	Arbeitsmarkt-statistik Am.-Gliederung	Industriebe-richterstattung Handwerkszäh-lung, Bauhaupt-gewerbestati-stik Jb.-,Hz.- u. Bh.-Gliederung
Land- und Forst-wirtschaft	1	0	-
Warenproduzie-rendes Gewerbe	2	1,2, 3/4, 5	Jb.: I - X Hz.: I - VII Bh.
Dienstleistungen	3,4	6, 7, 8, 9	-

Wir verfügen also nur über eine recht grobe sektorale Aufspaltung, die das gesamte Material umgreift. Für unsere Produktivitätsanalyse müssen wir jedoch sowohl beim Zähler (Y) als auch beim Nenner (A) die temporale und regionale Dimensionierung berücksichtigen.

Wie aus der Materialübersicht in Abschnitt 1 hervorgeht (vgl. Tabelle 1), kommen für das Produktionsergebnis Y nur die Gv.-Gliederung sowie die Ib.- Hz.- Bh.-Gliederung infrage. Der Arbeitseinsatz A kann im wesentlichen nur nach der Am.-Gliederung und der Ib.- Hz.- Bh.-Gliederung aufgespalten werden. Auf Kreisebene gelingt es nicht, die zum Bruttoinlandsprodukt nach der Gv.-Gliederung passenden Beschäftigtenzahlen aus der Am.-Gliederung zu gewinnen. Somit ist es uns verwehrt, Arbeitsproduktivitäten für die einzelnen Regionen gleichzeitig sektoral (und zeitlich vollständig) zu berechnen. Selbst für die Teilbereiche der Industrie [1)] und des Handwerks ist es unmöglich, Teilbereichsproduktivitäten der Stadt- und Landkreise zu ermitteln. Tief gegliederte Arbeitsproduktivitäten können wir jedoch auf Landesebene für Untergruppen des Waren produzierenden Gewerbes, auf Kreisebene in kompletter Zeitreihe für die Industrie insgesamt und das Bauhauptgewerbe sowie in zwei Stichjahren für das Handwerk ermitteln.

---

1) Das Statistische Landesamt Baden-Württemberg betont in diesem Zusammenhang, eine einwandfreie regionale Zuordnung der Industrieumsätze sei aus erhebungstechnischen Gründen nicht möglich; unserer Produktivitätsanalyse wären damit Grenzen gesetzt (Schreiben vom 10.12.1968).

3. Die regionale Gliederung

Aus dem sektoralen Produktivitätsaspekt unserer Fragestellung folgt auch für die Abgrenzung der Regionen eine Homogenitätsforderung. Sie würde eine Flächengliederung unter ökonomischen Gesichtspunkten notwendig machen. Die einzelnen Teilgebiete müßten, um für Querschnittsvergleiche geeignet zu sein, in ihrer sektoralen Zusammensetzung, ihrem Altersaufbau und ihrer Erwerbsquote gleichartig oder zumindest so strukturiert sein, daß Klassenbildungen unter den genannten Homogenitätsbedingungen möglich sind.

Dahinter steckt die Hypothese, technischer Fortschritt sei ein sektor-spezifisches Phänomen, das branchenindividuelle Produktionsprozesse betreffe und sich somit über die sektorale Zusammensetzung in regionalen Produktivitäten spiegle.

Nur bei einer derartigen ökonomisch-theoretischen Abgrenzung der Regionen wäre die wirtschaftspolitische Frage nach den Auswirkungen des technischen Fortschritts auf den Arbeitsmarkt exakt zu beantworten. Nun kann aber die Wirtschaftspolitik nicht von den institutionell gegebenen Verwaltungseinheiten absehen, da diese grundsätzlich die Adressaten des Mitteleinsatzes sind. Dieser Gesichtspunkt wiegt umso schwerer, als in den Ländern der Bundesrepublik auch untere Verwaltungseinheiten über einen Autonomiebereich verfügen, mit dem die Wirtschaftspolitik eines jeden Bundeslandes zu rechnen hat.

Das mag mit der Grund dafür sein, daß in der regionalen Landesplanung von Baden-Württemberg regionale Planungsgemeinschaften unter verwaltungstechnischen Gesichtspunkten (benachbarte Kreise) gebildet wurden. Nur unter politischen Gesichtspunkten ist die Zusammensetzung der 19 Planungsgemeinschaften (Stand November 1967) - von der sektoralen Struktur und der damit verbundenen wirtschaftspolitischen Problemstellung her - aus inhomogenen Kreisen zu verstehen. Strukturpolitische Gesichtspunkte sprechen jedoch dafür, die nachbarschaftlich orientierten Planungsgemeinschaften in ökonomisch gleichartig strukturierte Gebiete umzugruppieren, die räumlich nicht zusammenhängen müssen.

Eine rein ökonomische Regionenbildung stößt aber wiederum an die statistische Materialschwelle. Je kleiner die regionale Einheit ist, desto dürftiger werden die vorhandenen Daten. "Der Regierungsbezirk ... als ideale Raumeinheit im Sinne des kleinsten Übels" [1] wäre bei unserer Fragestellung ein zu großes Übel. Wir müssen - gerade unter den genannten Homogenitätsaspekten - auf die kleinsten regionalen Einheiten, die Stadt- und Landkreise, heruntergehen.

Bedingt durch die verschiedenen Lieferanten der Statistik waren Zahlen für unterschiedlich definierte kleinste Einheiten umzugliedern und aus größeren Aggregaten abzuspalten. Die Ergebnisse der Arbeitsmarktstatistik galt es aus 119 Arbeitsamtsnebenstellen-Bezirken, die 29 (von 1955 bis 1962) bzw. 24 (von 1963 bis 1967) Arbeitsamtsbezirken zugehörten, in 72 Stadt- und Landkreise überzuführen. Bei einer Zusammenlegung der Stadt- mit den entsprechenden Landkreisen war es immerhin möglich, 44 Nebenstellenbezirke nahezu unverändert in 44 Kreise umzugliedern. Die verbleibenden Kreiswerte mußten mithilfe eines prozentualen Korrekturschlüssels geschätzt werden. Als Beispiel für die Aufspaltung eines großen Aggregates in Kreiszahlen sei auf die Schätzung des Arbeitspotentials aufgrund der vorliegenden Prognosen für das Land verwiesen.

Abschließend zu unserer Diskussion des statistischen Ausgangsmaterials wollen wir die Datenfülle, die sich allein schon aus der Fragestellung ergibt, mit einem kleinen Rechenbeispiel illustrieren. Dabei abstrahieren wir von den geschilderten sachlichen, sektoralen, räumlichen und zeitlichen Abgrenzungsschwierigkeiten bei den einzelnen Variablen.

---

1) D. Schröder, Strukturwandel ..., a.a.O., S. 72.

Nehmen wir an, daß für nur 10 Quotienten Wachstumsraten und Indexreihen in jeweils 5 Sektoren für die 72 Stadt- und Landkreise ermittelt werden sollen, nehmen wir weiter an, daß diese Angaben für die Jahre 1955 bis 1967 und für den Prognosezeitraum 1968 bis 1975 erwünscht sind, so ergeben sich insgesamt bereits 10 x 5 x 5 x (72 + 1) x 21 = 383.250 Daten. Auch hierin liegen Grenzen unserer Studie.

IV. Sektorale und regionale Analyse des technischen Fortschritts und der Freisetzung von 1955 bis 1967

1. Die sektorale Arbeitsproduktivität

Versuchen wir zunächst, am Beispiel des vorhandenen Zahlenmaterials für das Land Baden-Württemberg verschiedene Arbeitsproduktivitäten und die sich daraus ergebenden Raten des technischen Fortschritts miteinander zu vergleichen. Zielsetzung dabei ist, einmal Größenvorstellungen über Arbeitsproduktivität und technischen Fortschritt für das Land Baden-Württemberg zu vermitteln, zum anderen die Aussagefähigkeit unterschiedlich definierter Arbeitsproduktivitäten zu prüfen.

In Tabelle 4 werden Arbeitsproduktivitäten einander gegenübergestellt, die durch eine Variation von Zähler und Nenner gekennzeichnet sind. Sachlich gehören die Spalten (1) bis (3) und die Spalten (4) bis (6) zusammen.

Im ersten Falle (Spalten (1) bis (3)) ist der Nenner der Produktivität jeweils die Wohnbevölkerung B, während die Produktionsmenge nacheinander durch das Bruttoinlandsprodukt in jeweiligen Preisen Y, durch das Bruttoinlandsprodukt Y 54 in (konstanten) Preisen von 1954 und durch das Nettoinlandsprodukt zu Faktorkosten Yn ausgedrückt wird. Im Jahre 1955 betrug das Bruttoinlandsprodukt in jeweiligen Preisen je Einwohner P(Y/B) DM 3.711, im Jahre 1966 DM 8.424. Die entsprechende "reale" Arbeitsproduktivität P(Y54/B) wuchs von DM 3.645 im Jahre 1955 kontinuierlich auf DM 5.787 im Jahre 1966 an [1]. Das Nettoinlandsprodukt zu Faktorkosten je Einwohner P(Yn/B) stieg im gleichen Zeitraum stetig von DM 2.908 auf DM 6.521.

---

1) Der jeweilige Abfall von 1966 auf 1967 ist durch die Rezession bedingt, die im Vergleich zu früheren Rezessionen erstmals mit einer Niveaueinbuße verbunden war.

Tabelle 4

Arbeitsproduktivitäten in Baden-Württemberg 1955 - 1967

- Bruttoinlandsprodukt in jeweiligen Preisen je Einwohner P(Y/B), Bruttoinlandsprodukt in Preisen von 1954 je Einwohner P (Y 54/B), Nettoinlandsprodukt zu Faktorkosten je Einwohner P (Yn/B), Bruttoinlandsprodukt in jeweiligen Preisen (Y) je Wirtschaftsbevölkerung P (Y/W), je Beschäftigten P (Y/A) und je unselbständig Beschäftigten P (Y/Au) in DM -

Jahre (t)	P(Y/B)	P(Y 54/B)	P(Yn/B)	P(Y/W)	P(Y/A)	P(Y/Au)
(o)	(1)	(2)	(3)	(4)	(5)	(6)
1955	3711	3645	2908	.	.	.
1956	3995	3818	3141	.	.	10701
1957	4309	3985	3393	4290	8161	11417
1958	4624	4122	3662	.	8855	12210
1959	4958	4383	3909	.	9531	12883
1960	5485	4703	4336	.	10526	14094
1961	6066	4972	4775	6010	11678	15555
1962	6508	5076	5105	.	12866	16631
1963	6791	5138	5316	.	13495	17331
1964	7441	5493	5812	7410	15182	.
1965	8054	5742	6275	.	16630	.
1966	8424	5787	6521	8365	17583	.
1967	8307	5678	.	.	.	.

Quellen: Spalten (1) bis (3) vgl. Nr. 4 des Verzeichnisses der statistischen Quellen; Spalte (4) vgl. Nr. 5 und Nr. 20 des Verzeichnisses der statistischen Quellen; Spalten (5) und (6) Eigenberechnungen des IAW aus Nr. 4 und Nr. 17 des Verzeichnisses der statistischen Quellen.

Wie nicht anders zu erwarten, war im gesamten Zeitraum das Bruttoinlandsprodukt in jeweiligen Preisen je Einwohner durchgängig höher als das Bruttoinlandsprodukt in Preisen von 1954 je Einwohner, wobei sich die Differenz im Zeitablauf durch Preissteigerungen ständig vergrößerte. Auch das Nettoinlandsprodukt zu Faktorkosten lag je Einwohner unter dem jeweiligen Bruttoinlandsprodukt in laufenden Preisen, da die eigentliche Wertschöpfung im Vergleich zum Bruttoinlandsprodukt Y um die Abschreibungen und den Saldo aus indirekten Steuern minus Subventionen abweicht.

Im zweiten Falle (Spalten (4) bis (6)) wird als Zähler das Bruttoinlandsprodukt in jeweiligen Preisen Y verwandt, der Nenner variiert. Die höchste Arbeitsproduktivität ergibt sich, wenn wir die unselbständig Beschäftigten Au als Nenner wählen (DM 11.417 im Jahre 1957 und DM 15.555 im Jahre 1961). An zweiter Stelle folgt die Arbeitsproduktivität mit sämtlichen Beschäftigten A als Nenner (DM 8.161 bzw. DM 11.678). Ein Bezug des Bruttoinlandsprodukts auf die Wirtschaftsbevölkerung W, die um den doppelten Pendlersaldo bereinigte Wohnbevölkerung, liegt naturgemäß weit darunter (DM 4.290 im Jahre 1957, DM 6.010 im Jahre 1961).

Um die Aussagefähigkeit der unterschiedlich definierten Arbeitsproduktivitäten diskutieren zu können, wollen wir ihre analytischen Zusammenhänge klären. Der theoretisch zu fordernde Ausdruck für die Arbeitsproduktivität wäre - in den Symbolen der Tabelle 4 ausgedrückt - P(Yn54/A), d.h. das Nettoinlandsprodukt in Preisen von 1954 je Beschäftigten. Netto- und Bruttoinlandsprodukt sind durch eine Nettoquote q verbunden, die den Anteil des Nettoinlandsprodukts am Bruttoinlandsprodukt kennzeichnet. "Reale" und nominale Produktionswerte werden durch einen Preisfaktor p miteinander verknüpft. Es ist also $Y = \frac{p}{q} \cdot (Yn54)$. Durch eine

Pendlersaldenquote h kann die Wohnbevölkerung B mit der Wirtschaftsbevölkerung W verknüpft werden: $W = (1 - 2 \cdot h) \cdot B$. Die Wirtschaftsbevölkerung W wiederum steht über die Erwerbsquote e mit der Zahl der selbständig und unselbständig Beschäftigten A in Beziehung: $A = e \cdot W = e \cdot (1 - 2 \cdot h) \cdot B$. Mithilfe der Unselbständigenquote s schließlich lassen sich die Beschäftigten insgesamt A in die Zahl der unselbständig Beschäftigten Au überführen: $Au = s \cdot A$.

Fragen wir uns, welche Bedingungen die Arbeitsproduktivitäten P(Y/B), P(Y/W) und P(Y/Au) erfüllen müssen, um mit der theoretisch wünschbaren Arbeitsproduktivität P(Yn54/A), der realen Wertschöpfung je Beschäftigten, übereinzustimmen, so ergeben sich unter Verwendung der genannten analytischen Zusammenhänge folgende Beziehungen:

$$P(Y/B) = \frac{p \cdot e}{q} \cdot (1 - 2 \cdot h) \cdot P(Yn54/A) \qquad (6.1)$$

$$P(Y/W) = \frac{p \cdot e}{q} \cdot P(Yn54/A) \qquad (6.2)$$

$$P(Y/Au) = \frac{p}{q \cdot s} \cdot P(Yn54/A) \qquad (6.3)$$

Mit diesen Formeln wird das Niveau der unterschiedlich definierten Arbeitsproduktivitäten bestimmt, das nur dann mit dem Niveau der anzustrebenden Arbeitsproduktivitäten P(Yn54/A) identisch ist, wenn die drei Koeffizienten

$\frac{p \cdot e}{q} \cdot (1 - 2 \cdot h)$, $\frac{p \cdot e}{q}$ und $\frac{q}{q \cdot s}$ den Wert Eins annehmen.

Unter dem Aspekt der Messung des technischen Fortschritts interessieren nun aber nicht die Niveaus, sondern die Wachstumsraten der Produktivitäten. Gehen wir von Formel (3.2) aus, so hängen die drei Raten des technischen Fortschritts, die sich aus den Formeln (6.1) bis (6.3) ergeben, wie folgt zusammen:

$$wP(Y/B) = wP(Yn54/A) + w(p) - w(q) + w(e) + w(1-2\cdot h) \quad (7.1)$$

$$wP(Y/W) = wP(Yn54/A) + w(p) - w(q) + w(e) \quad (7.2)$$

$$wP(Y/Au) = wP(Yn54/A) + w(p) - w(q) - w(s) \quad (7.3)$$

Alle diese Formeln würden zu den gleichen Fortschrittsraten führen, wenn die Wachstumsraten der Koeffizientenbestandteile p, q, e, h und s Null wären, d.h. also, wenn im Zeitablauf der Preisfaktor p, die Nettoquote q[1], die Erwerbsquote e, die Quote der Pendlersalden h und die Quote der unselbständig Beschäftigten s konstant blieben. Hervorzuheben ist, daß alle drei genannten Fortschrittsraten durch Veränderungen des Preisniveaus und der Abschreibungs-, indirekten Steuer- und Subventionssätze mit beeinflußt werden.

Nach diesem notwendigen Exkurs in die analytische Erklärung der Abweichungen unterschiedlich definierter Produktivitäten und ihrer Veränderungen wollen wir uns wieder den statistischen Realitäten zuwenden. Das vorhandene Material erlaubt eine empirische Analyse der Unterschiede zwischen den Arbeitsproduktivitäten und den Fortschrittsraten nur teilweise und dann nur für das gesamte Land Baden-Württemberg (vgl. Tabelle 5).

Im Durchschnitt der Jahre 1958 bis 1963 betrug wP(Y54/B), der "reale" technische Fortschritt, 4,3 %. Der Preiseffekt, der - wie Spalte (3) zeigt - Konjunkturschwankungen unterliegt, belief sich im gleichen Zeitraum auf jährlich 3,5 % und erklärt zumindest teilweise die hohen Raten des technischen Fortschritts in jeweiligen Preisen mit 7,9 %. Spalte (5) zeigt die Strukturänderungen der Abschreibungs-, Subventions- und indirekten Steuersätze, die mit 0,1 % jährlich so geringfügig sind, daß der eigentlich mithilfe der Wertschöpfung zu messende technische Fortschritt für die Vergangenheit auch durch das Bruttoinlandsprodukt in jeweiligen Preisen verläßlich quantifiziert werden kann. Insofern sind die uns fehlenden Angaben über die Wertschöpfung durch das Bruttoinlandsprodukt einigermaßen zu überbrücken[2].

---

1) Die Nettoquote der Industrie (Nettoproduktionswert/Bruttoproduktionswert) schwankte 1962 laut Industriezensus (vgl. Nr. 14 des Verzeichnisses der statistischen Quellen) regional zwischen 38,3 % (Landkreis Säckingen) und 72,8 % (Kreis Baden-Baden).

2) Vgl. hierzu S. 22.

Tabelle 5

Technischer Fortschritt in Baden-Württemberg 1956 - 1967

- Wachstumsraten (w) der Arbeitsproduktivitäten nach Tabelle 4 in % -

Jahre (t)	wP(Y/B)	wP(Y54/B)	Sp.(1)-Sp.(2)	wP(Yn/B)	Sp.(1)-Sp.(4)	wP(Y/W)	wP(Y/A)	wP(Y/Au)
(o)	(1)	(2)	(3)	(4)	(5)	(6)	(7)	(8)
1956	7,6	4,7	2,9	8,0	-0,4	.	.	.
1957	7,8	4,4	3,4	8,0	-0,2	.	.	6,7
1958	7,2	3,4	3,8	7,9	-0,7	8,8	8,5	6,9
1959	7,2	6,3	0,9	6,7	0,5	8,8	7,6	5,5
1960	10,6	7,3	3,3	10,9	-0,3	8,8	10,4	9,4
1961	10,6	5,7	4,9	10,1	0,5	8,8	10,9	10,4
1962	7,3	2,1	5,2	6,9	0,4	7,2	10,2	6,9
1963	4,3	1,2	3,1	4,1	0,2	7,2	4,9	4,2
1964	9,6	6,9	2,7	9,3	0,3	7,2	12,5	.
1965	8,2	4,5	3,7	8,0	0,2	6,3	9,5	.
1966	4,6	0,8	3,8	3,9	0,7	6,3	5,7	.
1967	-1,4	-1,9	0,5					
Ø w 1956-1966	7,7	4,3	3,4	7,6	0,1	.	.	.
Ø w 1958-1966	7,7	4,2	3,5	7,5	0,2	7,7	8,9	.
Ø w 1958-1963	7,9	4,3	3,5	7,8	0,1	8,3	8,8	7,2

Quellen: Eigenberechnungen des IAW aus Tabelle 4.

Die Abweichungen des technischen Fortschritts bei unterschiedlichen Nennern erklären sich aus deren unterschiedlichem Wachstum. So lautet die Reihenfolge nach dem Ausmaß des technischen Fortschritts im Durchschnitt der Jahre 1958 bis 1963 wP(Y/Au) = 7,2 %, wP(Y/B) = 7,9 %, wP(Y/W) = 8,3 % und wP(Y/A) = 8,8 %. Die unselbständig Beschäftigten Au wuchsen also vergleichsweise am stärksten, die Beschäftigten insgesamt (A) am schwächsten. Darin kommt eine Wandlung im Beschäftigtenstatus zum Ausdruck: Die Quote der unselbständig Tätigen steigt. Der Unterschied zwischen wP(Y/B) und wP(Y/W) ist ebenfalls Ausfluß eines Strukturwandels. Das Wachstum des Einpendlerüberschusses hielt mit dem Wachstum der Wohnbevölkerung in Baden-Württemberg nicht Schritt.

Wenden wir uns nunmehr einer groben sektoralen Betrachtung der Arbeitsproduktivität und des technischen Fortschritts in Baden-Württemberg zu. Das Material erlaubt es uns hier - wenn auch nicht über den gesamten Zeitraum - unterschiedlich definierte Produktivitäten sektoral miteinander zu vergleichen. Für die Land- und Forstwirtschaft, das Warenproduzierende Gewerbe und den Dienstleistungsbereich konnten für den Zeitraum 1957 bis 1962 (vgl. Tabelle 6) zwei Arbeitsproduktivitäten berechnet werden: Das Bruttoinlandsprodukt in jeweiligen Preisen je Beschäftigten P(Y/A) und das Bruttoinlandsprodukt in jeweiligen Preisen je unselbständig Beschäftigten P(Y/Au).

Da alle Beschäftigten A zum Produktionswert Y beitragen, muß zwangsläufig jede Arbeitsproduktivität, die nur von den unselbständig Beschäftigten ausgeht, höher und intersektoral in unterschiedlichem Ausmaße verzerrt sein [1]. Dies führt in der Land- und Forstwirtschaft dazu, daß der Produktionswert je unselbständig Beschäftigten P(Y/Au) zwischen dem

---

1) Vgl. S. 26 f.

Tabelle 6

Sektorale Arbeitsproduktivitäten in Baden-Württemberg 1957 - 1966 in DM a)

	Land- und Forstwirtschaft		Warenproduzierendes Gewerbe		Dienstleistungen			
					Insgesamt		Handel, Verkehr	Übrige Dienstl.
Jahre (t)	P(Y/A)	P(Y/Au)	P(Y/A)	P(Y/Au)	P(Y/A)	P(Y/Au)	P(Y/A)	P(Y/A)
(o)	(1)	(2)	(3)	(4)	(5)	(6)	(7)	(8)
1957	3240	24936	9157	9818	9509	12543	8354	10762
1958	3756	29456	9573	10476	10580	13242	9532	11623
1959	3739	31318	10472	11307	11109	13846	10033	12191
1960	4090	38473	11513	12529	12059	15228	10748	13407
1961	4351	41040	12747	13829	13331	16532	13689	13060
1962	4410	42893	14223	14941	14613	17725	14880	14410
1963	4911	.	14597	.	15484	.	15472	15493
1964	6220	.	16409	.	16395	.	16695	16181
1965	6254	.	17853	.	18158	.	18188	18137
1966	6225	.	18315	.	20309	.	19828	20644

a) Zu den Symbolen vgl. Tabelle 4, wobei Au im Gegensatz zu Tabelle 4 hier keinen Jahresdurchschnittswert repräsentiert, sondern einen Stichtagswert (jeweils Ende September).

Quellen: Eigenberechnungen des IAW
Spalten (1), (3), (5), (7), (8) aus Nr. 4 des Verzeichnisses der statistischen Quellen,
Spalten (2), (4), (6) aus Nr. 4 und Nr. 17 des Verzeichnisses der statistischen Quellen.

Acht- und Zehnfachen des Produktionswertes je selbständig und unselbständig Beschäftigten P(Y/A) ausmacht(im Jahr 1957 DM 24.936 gegenüber DM 3.240 im Jahr 1962 DM 42.893 gegenüber DM 4.410). Die relativ geringe Selbständigenquote im Warenproduzierenden Bereich bewirkt nur geringfügige Abweichungen der Produktivitätswerte(im Jahr 1957 DM 9.818 gegenüber DM 9.157, im Jahr 1962 DM 14.941 gegenüber DM 14.223). Im Dienstleistungsbereich dagegen sind die Unterschiede wieder etwas größer (im Jahr 1957 DM 12.543 gegenüber DM 9.509, im Jahr 1962 DM 17.725 gegenüber DM 14.613).

Haben wir vorher festgestellt, daß der materialbedingte Ersatz der Wertschöpfung Yn durch das Bruttoinlandsprodukt in jeweiligen Preisen Y vertretbare Produktivitätsabweichungen bewirkt, so führen die oben genannten Struktureffekte bei Produktivitätsvergleichen zwischen Sektoren zu erheblichen Verzerrungen. Die Zahl der selbständig und unselbständig Beschäftigten A kann demnach - gerade bei tiefer regionaler und sektoraler Gliederung - nicht zuverlässig durch die Kopfzahl der unselbständig Beschäftigten Au ersetzt werden.

Mit Ausnahme des Jahres 1964 ist die Arbeitsproduktivität, gemessen an den insgesamt Beschäftigten, P(Y/A) im Dienstleistungsbereich (im Jahr 1957 DM 9.509, im Jahr 1966 DM 20.309) durchweg höher als im Warenproduzierenden Gewerbe (im Jahr 1957 DM 9.157, im Jahr 1966 DM 18.315). Die so gemessene geringste Arbeitsproduktivität weist jeweils die Land- und Forstwirtschaft auf (im Jahr 1957 DM 3.240, im Jahr 1966 DM 6.225). Vergleicht man die zwei Dienstleistungsbereiche Handel und Verkehr einerseits und Übrige Dienstleistungen [1] andererseits mit dem Warenpro-

---

1) Zur genauen Beschreibung dieses Restbereiches vgl. S. 35.

duzierenden Gewerbe, so zeigt sich bei ungefähr gleichen Größenordnungen, daß zwischen 1957 und 1960 die Produktivität im Warenproduzierenden Gewerbe tendenziell über, von 1961 bis 1966 tendenziell unter der Produktivität von Handel und Verkehr, die Arbeitsproduktivität bei den Übrigen Dienstleistungen dagegen (mit Ausnahme des Jahres 1964) stets über der des Warenproduzierenden Gewerbes liegt.

Wären die erwähnten Strukturunterschiede zwischen den selbständig und unselbständig Beschäftigten in den einzelnen Sektoren im Zeitablauf konstant, so müßten die unterschiedlich definierten Arbeitsproduktivitäten P(Y/A) und P(Y/Au) zu identischen Raten des technischen Fortschritts führen. Dem ist, wie Tabelle 7 zeigt, nicht so. Bestenfalls im Warenproduzierenden Gewerbe führt eine Durchschnittsbildung über mehrere Jahre zu qualitativ gleichwertigen Aussagen über den technischen Fortschritt (wP(Y/A) = 9,2 % und wP(Y/Au) = 8,8 % für die Jahre 1958 bis 1962).

Den höchsten durchschnittlichen technischen Fortschritt im Beobachtungszeitraum 1958 bis 1966 hat, gemessen an der Produktivitätserhöhung je selbständig und unselbständig Beschäftigten wP(Y/A), der Handel und der Verkehr mit 10,3 %, gefolgt vom Warenproduzierenden Gewerbe mit 8,1 %, der Land- und Forstwirtschaft mit 7,9 % und den Übrigen Dienstleistungen mit 7,6 % zu verzeichnen. Bei der Interpretation der jährlichen Fortschrittsraten in den einzelnen Sektoren ist zu bedenken, daß Preis- und Mengeneffekt zusammenwirken [1] und offenbar in den einzelnen Sektoren temporal unterschiedliche Fortschrittsschübe bewirken.

---

1) Vgl. S. 44 .

Tabelle 7

Sektoraler technischer Fortschritt in Baden-Württemberg 1958 - 1966

- Wachstumsraten der Arbeitsproduktivitäten nach Tabelle 6 in % -

Jahre (t)	Land- und Forstwirtschaft			Warenproduzierendes Gewerbe			Dienstleistungen Insgesamt			Dienstleistungen Handel, Verkehr	Dienstleistungen Übrige Dienstl.
	wP (Y/A)	wP (Y/Au)	Sp. (1) - Sp. (2)	wP (Y/A)	wP (Y/Au)	Sp. (4) - Sp. (5)	wP (Y/A)	wP (Y/Au)	Sp. (7) - Sp. (9)	wP (Y/A)	wP (Y/A)
(o)	(1)	(2)	(3)	(4)	(5)	(6)	(7)	(8)	(9)	(10)	(11)
1958	15,9	18,1	- 2,2	4,5	6,7	- 2,2	11,3	5,6	+ 5,7	14,1	8,0
1959	- 0,5	6,3	- 6,8	9,4	7,9	+ 1,5	5,0	4,5	+ 0,5	5,3	4,9
1960	9,4	22,8	-13,4	9,9	10,8	- 0,9	8,6	10,0	- 1,4	7,1	10,0
1961	6,4	6,7	- 0,3	10,7	10,4	+ 0,3	10,5	8,6	+ 1,9	27,4	- 2,6
1962	1,4	4,5	- 3,1	11,6	8,0	+ 3,6	9,6	7,2	+ 2,4	8,7	10,3
1963	11,4	.	.	2,6	.	.	6,0	.	.	4,0	7,5
1964	26,7	.	.	12,4	.	.	5,9	.	.	7,9	4,4
1965	0,5	.	.	8,8	.	.	10,8	.	.	8,9	12,1
1966	- 0,5	.	.	2,6	.	.	11,8	.	.	9,0	13,8
Ø w 1958-1966	7,9	.	.	8,1	.	.	8,8	.	.	10,3	7,6
Ø w 1958-1962	6,5	11,7	- 5,2	9,2	8,8	0,5	9,0	7,2	1,8	12,5	6,1

Quelle: Eigenberechnungen des IAW aus Tabelle 6.

Nach diesem groben sektoralen Überblick über Arbeitsproduktivität und technischen Fortschritt in Baden-Württemberg wollen wir drei Bereiche des Warenproduzierenden Gewerbes näher untersuchen, die Industrie, das Bauhauptgewerbe und das Handwerk.

Den Bereich der Industrie unterteilen wir in zehn Industriegruppen [1]. Dafür lassen sich auf Landesebene - wenn auch nicht über den gesamten Beobachtungszeitraum - vier verschieden definierte Arbeitsproduktivitäten berechnen (vgl. Tabelle 8). Sie unterscheiden sich durch jeweils andere Hilfsgrößen für den Produktionswert [2].

Bei der Industrie insgesamt lassen sich die vier Arbeitsproduktivitäten auf drei reduzieren, da im Gesamtaggregat die unterschiedliche Zuordnung der Umsätze nach beteiligten und nach hauptbeteiligten Industriegruppen keine Rolle spielt. Die höchste Arbeitsproduktivität weist der Umsatz je Beschäftigten P(U/A) mit DM 33.749 im Jahre 1962 auf, gefolgt vom Bruttoproduktionswert je Beschäftigten P(BP/A) mit DM 31.878 und dem Nettoproduktionswert je Beschäftigten P(NP/A) mit DM 18.029.

Ein differenzierteres Bild entsteht, wenn wir die Arbeitsproduktivitäten der einzelnen Industriegruppen untereinander vergleichen. Zwar ergibt der Nettoproduktionswert je Beschäftigten P(NPh/A) in jedem Falle die geringste Arbeitsproduktivität. Der Hauptbeteiligten-Bruttoproduktionswert, der Hauptbeteiligten-Umsatz und der Beteiligten-Umsatz je Beschäftigten dagegen stehen nicht zwangsläufig in einer festen Rangfolge. Bruttoproduktionswert und Industrieumsatz

1) Vgl. Ib.-Gliederung S. 36 und die Kurzbezeichnungen in Tabelle 16.
2) Zur Rangfolge der Hilfsgrößen in der Wunschliste des Theoretikers und zur Materialschwelle vgl. S. 22 f.

Tabelle 8

Arbeitsproduktivitäten in der Industrie und den Industriegruppen Baden-Württembergs 1955, 1962 und 1967 in DM

- Betriebe mit 10 und mehr Beschäftigten -

Bruttoproduktionswert je Beschäftigten nach Hauptbeteiligten P(BPh/A)
Nettoproduktionswert je Beschäftigten nach Hauptbeteiligten P(NPh/A)
Umsatz je Beschäftigten nach Beteiligten P(Ub/A)
Umsatz je Beschäftigten nach Hauptbeteiligten P(Uh/A)

Industriegruppe a)	P(BPh/A)		P(NPh/A)		P(Ub/A)			P(Uh/A)		
	1955	1962	1954	1962	1955	1962	1967	1955	1962	1967
(o)	(1)	(2)	(3)	(4)	(5)	(6)	(7)	(8)	(9)	(10)
I	18956	26956	12814	23970	22742	31845	40256	28682	32501	40208
II	17629	32860	11033	16487	22827	30023	39603	26428	35106	43433
III	23961	35715	10712	19907	24002	36644	43296	23611	35902	42689
IV	18363	24740	9676	15736	17717	27297	36346	17475	27172	36214
V	35561	48191	16312	27623	35117	47952	80724	34247	47364	64640
VI	20184	29755	11033	24212	18480	33303	44725	21954	33519	45037
VII	20674	29208	9859	17051	21187	30047	40721	21410	30360	41165
VIII	21312	36784	9295	17801	20544	30972	44951	17259	28365	38156
IX	18413	25831	7743	13159	19383	28393	35624	19603	28612	36192
X	36027	63045	15634	29598	43609	72628	97590	43437	72495	97386
Industrie insgesamt	21531	31878	10208	18029	22498	33749	43951	22498	33749	43951

a) Vgl. Ib.-Gliederung S. 36.

Quellen: Eigene Berechnungen des IAW aus Nr. 13, Nr. 14 und Nr. 21 des Verzeichnisses der statistischen Quellen.

unterscheiden sich durch Bestandsänderungen an halbfertigen und fertigen Erzeugnissen sowie durch die selbsterstellten Anlagen.

Der nach dem Hauptbeteiligtenkonzept gemessene Umsatz je Beschäftigten P(Uh/A) liegt mit Ausnahme der Chemischen Industrie [1)] (V) sowie der Kunststoff-, Gummi- und Asbestverarbeitenden Industrie (VIII) im Jahre 1962 über dem Bruttoproduktionswert je Beschäftigten P(BPh/A). Im Jahre 1955 gehörten außerdem die Industriegruppen Stahl-, Maschinen- und Fahrzeugbau (III) sowie Elektrotechnik und Feinmechanik (IV) zu den Ausnahmen. Da wir nicht wissen, welche Abweichungen den selbsterstellten Anlagen und welche Unterschiede den Lagerbestandsveränderungen zuzuschreiben sind, ist eine Interpretation der genannten Unterschiede, z.B. hinsichtlich der Kapazitätsauslastung, nicht möglich.

Die Produktivitätsmessung mithilfe des Industrieumsatzes wird von der sektoralen Zuordnung nach dem Beteiligten- oder Hauptbeteiligtenprinzip unterschiedlich stark beeinflußt. Wünschenswert wäre die Messung der Arbeitsproduktivität nach dem Beteiligtenprinzip P(Ub/A). Sie steht jedoch für tiefgegliederte regionale Untersuchungen nicht zur Verfügung. Auffallende Abweichungen der näherungsweise verwandten Arbeitsproduktivität P(Uh/A) von P(Ub/A) weisen die Industriegruppen Eisen- und NE-Metallerzeugung (II) sowie Kunststoff-, Gummi- und Asbestverarbeitung (VIII) auf. Offensichtlich liegt hier kein sektorspezifisches Phänomen vor, wie das Beispiel der Chemischen Industrie (V) im Jahre 1967 zeigt. Aussagen über die zeitliche Konstanz der Strukturen in den sektoralen Produktionsprogrammen wären deshalb zu gewagt.

---

1) Wir verwenden im folgenden die Kurzbezeichnungen der Industriegruppen aus Tabelle 16.

Vergleichen wir die Werte der Arbeitsproduktivität P(Uh/A) für das Jahr 1962 zwischen den Industriegruppen, so steht das Nahrungs- und Genußmittelgewerbe (X) mit DM 72.495 deutlich an der Spitze. Es folgen die Chemische Industrie (V) mit DM 47.364, die Stahl-, Maschinen- und Fahrzeugindustrie (III) mit DM 35.902 sowie die Eisen- und NE-Metallerzeugende Industrie (II) mit DM 35.106. An letzter Stelle steht mit DM 27.172 die Elektrotechnische und Feinkeramische Industrie (IV). Bei der Interpretation dieser Rangfolge ist zu beachten, daß der Umsatzwert einer Branche von der Konsumnähe ihrer Produkte abhängt. Das Umsatzvolumen einer Industriegruppe ist umso stärker aufgebläht, je mehr Vorleistungen in ihre Produkte eingehen. Daraus wiederum folgt eine Überhöhung der am Umsatz gemessenen Arbeitsproduktivität.

Die Tabellen 9, 10 und 11 zeigen die jährlichen Fortschrittsraten in den Industriegruppen Baden-Württembergs aufgrund der Produktivitätszeitreihen für den Bruttoproduktionswert je Beschäftigten P(BPh/A) sowie die Industrieumsätze je Beschäftigten nach dem Beteiligtenprinzip P(Ub/A) und dem Hauptbeteiligtenkonzept P(Uh/A). Die daraus berechneten durchschnittlichen Jahresraten des technischen Fortschritts stellen wir in Tabelle 12 gegenüber.

In der Industrie insgesamt belief sich der durchschnittliche technische Fortschritt zwischen den Jahren 1956 und 1964 mit dem Bruttoproduktionswert als Zähler der Arbeitsproduktivität (Ø wP(BPh/A)) auf 6,1 %, mit dem Umsatz als Zähler der Arbeitsproduktivität (ØwP(U/A)) auf 6,3 %. Für den erweiterten Zeitraum der Jahre 1956 bis 1967 betrug die jährliche Fortschrittsrate durchschnittlich (Ø wP(U/A)) nur 5,8 %. Ein Blick auf die Tabellen 10 und 11 verdeutlicht die zeitlichen und sektoralen Komponenten dieses Rückganges.

Tabelle 9

Technischer Fortschritt in der Industrie und den Industriegruppen Baden-Württembergs 1956 - 1964

- Wachstumsraten des Bruttoproduktionswertes je Beschäftigten in %, Hauptbeteiligte Betriebe mit 10 und mehr Beschäftigten -

Industrie-gruppe a)	Jahre								
	1956	1957	1958	1959	1960	1961	1962	1963	1964
I	12,0	-9,2	0,8	19,5	11,0	-2,1	6,8	12,9	-11,5
II	1,1	52,3	1,3	3,2	15,3	4,2	-3,6	-0,2	15,8
III	- 0,2	1,5	7,3	8,1	8,7	7,9	8,2	-0,5	10,3
IV	3,8	-7,0	5,9	6,6	11,3	9,3	1,7	4,4	7,8
V	6,8	6,5	2,7	7,0	4,6	-1,0	4,7	22,0	14,2
VI	-10,2	4,8	6,4	14,3	9,8	11,0	5,6	7,8	14,0
VII	3,7	4,6	2,9	4,5	9,3	5,4	5,2	3,2	11,6
VIII	- 1,8	12,1	0,3	15,8	21,9	3,3	7,3	4,9	12,9
IX	5,9	6,5	-2,2	5,2	7,7	4,2	7,8	6,2	8,8
X	12,1	9,3	4,4	8,3	5,8	9,9	8,7	6,3	8,8
Industrie insgesamt	3,9	4,0	3,7	7,1	9,1	6,8	5,9	4,1	9,9

a) Vgl. Ib.-Gliederung S. 36.

Quellen: Eigenberechnungen des IAW aus Nr. 13 und Nr. 21 des Verzeichnisses der statistischen Quellen.

Tabelle 10

Technischer Fortschritt in der Industrie und den Industriegruppen Baden-Württembergs 1956 - 1967

- Wachstumsraten des Industrieumsatzes je Beschäftigten in %, Beteiligte, Betriebe mit 10 und mehr Beschäftigten -

Industrie-gruppe a)	Jahre											
	1956	1957	1958	1959	1960	1961	1962	1963	1964	1965	1966	1967
I	12,5	- 6,7	- 3,2	15,7	11,8	-1,1	7,8	16,0	- 9,5	16,1	0,6	3,2
II	- 0,5	- 1,1	1,4	8,8	19,6	2,6	-1,3	- 0,6	15,5	9,5	0,7	4,3
III	1,4	2,0	7,3	9,6	8,4	7,8	7,4	0,9	8,6	3,8	4,9	-1,0
IV	4,6	3,8	4,7	9,1	8,5	6,2	7,7	3,7	10,3	7,7	6,2	1,8
V	4,0	5,7	3,5	8,5	5,8	0,8	3,8	23,6	17,8	7,0	4,1	3,7
VI	3,1	6,5	9,2	14,4	10,3	11,6	6,8	5,5	15,4	4,2	4,0	1,8
VII	3,4	4,6	2,1	5,4	9,7	5,1	5,8	2,9	11,6	9,3	5,9	1,9
VIII	1,1	6,5	3,5	14,2	8,6	2,0	7,0	4,9	15,6	8,7	4,7	5,2
IX	6,5	6,4	- 2,0	10,5	4,8	6,3	7,2	4,3	9,0	6,3	3,5	0,3
X	10,9	8,4	1,9	6,8	5,7	10,2	9,4	3,3	11,5	7,9	0,2	8,0
Industrie insgesamt	4,1	4,3	3,2	9,0	7,8	6,5	7,0	3,8	10,7	6,4	4,3	2,2

a) Vgl. Ib.-Gliederung S. 36.

Quellen: Eigenberechnungen des IAW aus Nr. 13 des Verzeichnisses der statistischen Quellen.

Tabelle 11

Technischer Fortschritt in der Industrie und den Industriegruppen Baden-Württembergs 1956 - 1967

- Wachstumsraten des Industrieumsatzes je Beschäftigten in %, Hauptbeteiligte, Betriebe mit 10 und mehr Beschäftigten -

Industrie-gruppe a)	Jahre											
	1956	1957	1958	1959	1960	1961	1962	1963	1964	1965	1966	1967
I	- 10,4	- 6,6	- 2,7	15,7	11,3	- 1,4	9,6	15,6	- 9,2	15,1	- 1,1	3,5
II	- 0,8	- 0,7	3,3	8,5	18,5	3,1	-1,5	2,4	15,5	8,4	0,3	0,9
III	1,9	1,1	7,1	9,3	8,4	8,0	7,7	0,3	9,5	4,2	4,6	- 0,6
IV	4,8	4,3	4,9	9,5	8,9	6,0	7,4	4,5	9,6	7,1	6,7	1,8
V	4,5	5,4	3,8	9,6	5,2	0,7	4,1	5,9	9,9	6,0	5,5	4,9
VI	- 12,4	6,6	9,2	14,4	10,0	11,3	6,8	5,9	15,3	4,1	4,1	1,6
VII	3,5	4,2	2,4	5,3	9,5	5,2	5,8	3,0	11,8	8,9	5,5	2,6
VIII	- 1,9	7,5	4,8	16,2	12,8	4,5	8,7	3,4	12,0	7,3	4,5	3,8
IX	6,4	- 2,1	7,5	10,7	4,7	5,9	7,1	4,4	9,4	6,3	3,7	0,5
X	10,9	8,6	1,9	6,7	5,7	10,2	9,5	3,3	11,5	7,8	0,2	8,1
Industrie insgesamt	4,1	4,3	3,2	9,0	7,8	6,5	7,0	3,8	10,7	6,4	4,3	2,2

a) Vgl. Ib.-Gliederung S. 36.

Quellen: Eigenberechnungen des IAW aus Nr. 13 des Verzeichnisses der statistischen Quellen.

In den einzelnen Sektoren sind die Abweichungen zwischen den unterschiedlich gemessenen jährlichen Fortschrittsraten auch bei einer Durchschnittsbildung über mehrere Jahre erheblich. Das Material zwingt zu einem zweifachen Vergleich: Einmal zwischen Spalte (1) und Spalte (4) der Tabelle 12, zum anderen zwischen den Spalten (2) und (4) bzw. (3) und (5) der Tabelle 12.

Der uns vom statistischen Material aufgezwungene Übergang vom Bruttoproduktionswert zum Umsatz nach Hauptbeteiligten als Hilfsgröße für den Produktionswert wirkt sich, wie der Vergleich der Spalten (1) und (4) zeigt, bei den Industriegruppen III, VI, VII, IX und X praktisch kaum aus. Erhebliche Abweichungen der Fortschrittsraten sind in den Industriegruppen IV, V und VIII festzustellen; bei den Gruppen I und II sind sie so extrem, daß eine Verwendung des Umsatzes als Hilfsgröße für den Produktionswert äußerst fragwürdig erscheint.

Die grobe sektorale Zuordnung der Umsätze nach Hauptbeteiligten führt (vgl. die Spalten (2) und (4) bzw. (3) und (5) in Tabelle 12) lediglich bei den Industriegruppen I, V und VI zu nenneswert voneinander abweichenden Fortschrittsraten. Nur im Bergbau (I), der Chemischen Industrie (V) sowie der Industrie der Steine und Erden (VI) wirkt sich demnach ein diversifiziertes Produktionsprogramm bei der Einordnung nach dem Hauptbeteiligtenkonzept aus.

Die Industriegruppen X mit 7,0 %, VIIImit 6,9 %, VI mit 6,4 % und IV mit 6,3 % weisen gemäß Spalte (5) der Tabelle 12 im Durchschnitt der Jahre 1967 überdurchschnittlichen technischen Fortschritt auf. Schwach unterdurchschnittlichen technischen Fortschritt verzeichnen die Industriegruppen VIImit 5,6 %, V mit 5,5 %, IX mit 5,4 % und auch noch III mit 5,1 %. Die Industriegruppen II mit 4,4 % und I mit 3,3 % erfuhren die geringste Steigerung der Arbeitsproduktivität.

Tabelle 12

Technischer Fortschritt in der Industrie und den Industriegruppen Baden-Württembergs im Durchschnitt der Jahre 1956 - 1964 und 1956 - 1967

- Durchschnittliche Wachstumsraten der Arbeitsproduktivität [a] in % -

Industriegruppe [b]	ØwP(BPh/A)	Ø wP(Üb/A)		Ø wP(Uh/A)	
	1956-1964	1956-1964	1956-1967	1956-1964	1956-1967
(o)	(1)	(2)	(3)	(4)	(5)
I	4,5	4,8	5,3	2,4	3,3
II	9,9	4,9	4,9	4,8	4,4
III	5,7	5,9	5,1	5,9	5,1
IV	4,9	6,5	6,2	6,6	6,3
V	7,5	8,2	7,4	5,5	5,5
VI	7,1	9,2	7,7	7,5	6,4
VII	5,6	5,6	5,6	5,6	5,6
VIII	8,5	7,0	6,8	7,5	6,9
IX	5,6	5,9	5,3	6,0	5,4
X	8,2	7,6	7,0	7,6	7,0
Industrie insgesamt	6,1	6,3	5,8	6,3	5,8

a) Zu den Symbolen vgl. Tabelle 8.
b) Vgl. Ib.-Gliederung S. 36.

Quellen: Eigenberechnungen des IAW aus Tabellen 9 - 11.

Welche Bedeutung dem unterschiedlichen sektoralen technischen Fortschritt für die Industrie insgesamt zukommt, lassen die Tabellen 13 und 14 erkennen. In Tabelle 13 werden für die Industriebetriebe mit 50 und mehr Beschäftigten die Investitionsquoten der einzelnen Industriegruppen an den industriellen Gesamtinvestitionen in den Jahren 1962, 1964, 1965 und 1966 ausgewiesen. Auf die Industriegruppen mit überdurchschnittlichem technischen Fortschritt - das Nahrungs- und Genußmittelgewerbe X, das Holz-, Papier- und Druckgewerbe VII, die Industrie der Steine und Erden VI und die Elektrotechnische und Feinkeramische Industrie IV - entfielen im Jahre 1962 42,2 %, im Jahre 1966 39,3 % der Investitionen. Bemerkenswert ist dabei, daß der Stahl-, Maschinen- und Fahrzeugbau (III) bei unterdurchschnittlichem technischen Fortschritt stets über 30 % der Investitionen auf sich vereinigte.

Die Tabelle 14 gibt den Anteil der Sektoren mit überdurchschnittlichem technischen Fortschritt (Industriegruppen X, VII, VI und IV) aufgrund der Umsätze - Spalten (1) und (3) - für 1955 mit 44,4 %, für 1967 mit 45,6 %, aufgrund der Beschäftigten - Spalten (5) und (7) - für 1955 mit 44,5 %, für 1967 mit 44,2 % an. Auch dabei fällt der starke Anteil des Stahl-, Maschinen- und Fahrzeugbaues auf. Am Umsatz gemessen betrug er 24,1 % im Jahre 1955, 27,4 % im Jahre 1967, an den Beschäftigten 23,0 % im Jahre 1955 und 27,7 % im Jahre 1967.

Zugleich verdeutlicht Tabelle 14, daß die sektoralen Strukturgewichte nach dem Beteiligtenprinzip und nach der Hauptbeteiligtenzuordnung recht gut miteinander übereinstimmen. So beliefen sich die Umsatzanteile der fortschrittsstarken Industriegruppen nach dem Beteiligtenprinzip im Jahre 1955 auf 43,8 %, im Jahre 1967 auf 44,3 %, die Beschäftigtenanteile auf 44,1 % bzw. 43,7 %.

Tabelle 13

Investitionen der Industrie Baden-Württembergs 1962, 1964 - 1966

- Anteile der Industriegruppen an den Investitionen der Industrie in %, Hauptbeteiligte, Betriebe mit 50 und mehr Beschäftigten -

Industrie-gruppe a)	Jahre			
	1962	1964	1965	1966
I	0,4	0,5	0,3	0,3
II	5,4	5,0	4,1	4,9
III	30,7	30,7	33,3	30,6
IV	16,1	18,8	18,6	17,4
V	5,3	5,5	7,6	9,0
VI	6,4	6,1	7,4	5,0
VII	10,4	8,0	7,4	9,1
VIII	3,0	2,7	2,4	3,0
IX	10,5	10,4	10,8	10,5
X	9,3	8,7	7,6	7,8
Industrie insgesamt	100	100	100	100

a) Vgl. Ib.-Gliederung S. 36.

Quellen: Eigenberechnungen des IAW aus Nr. 14 des Verzeichnisses der statistischen Quellen.

Tabelle 14

Vergleich von Umsatz- und Beschäftigtenanteilen in der Industrie und den Industriegruppen Baden-Württembergs nach Hauptbeteiligten (h 10) und Beteiligten (b 10) 1955 und 1967 in %

Industrie-gruppe a)	Umsatz				Beschäftigte			
	1955		1967		1955		1967	
	h 10	b 10	h 10	b 10	h 10	b 10	h 10	b 10
(o)	(1)	(2)	(3)	(4)	(5)	(6)	(7)	(8)
I	0,3	0,3	0,2	0,2	0,3	0,3	0,2	0,2
II	5,3	5,5	4,5	4,6	4,5	5,4	4,5	5,1
III	24,1	24,3	27,4	27,1	23,0	22,8	27,7	27,5
IV	18,5	18,0	22,2	21,4	23,9	22,9	26,4	25,9
V	4,8	5,1	6,1	7,6	3,2	3,3	4,1	4,1
VI	3,0	3,0	3,5	3,4	3,1	3,7	3,3	3,3
VII	10,6	10,5	9,5	9,2	11,1	11,1	9,9	9,9
VIII	1,1	1,5	2,2	3,2	1,5	1,6	2,5	3,1
IX	19,9	19,3	14,0	13,2	22,9	22,4	16,7	16,3
X	12,3	12,3	10,4	10,3	6,4	6,4	4,6	4,6
Industrie insgesamt	100	100	100	100	100	100	100	100

a) Vgl. Ib.-Gliederung S. 36.

Quellen: Eigenberechnungen des IAW aus Nr. 13 des Verzeichnisses der statistischen Quellen.

Wenden wir uns nun dem zweiten Bereich des Warenproduzierenden Gewerbes, dem Bauhauptgewerbe zu. Dabei wollen wir die Auswirkungen unterschiedlicher Maße für den Arbeitseinsatz auf die Arbeitsproduktivität und den technischen Fortschritt diskutieren (vgl. Tabelle 15) [1]. Das statistische Material ermöglichte es uns, den Arbeitseinsatz in Personen (A), geleisteten Arbeitsstunden (ASt.) und dem Arbeitsentgelt in DM (AEnt.) für die Zeitreihe von 1955 bis 1967 auszudrücken. Die unterschiedliche Dimensionierung des Arbeitseinsatzes läßt nur einen Vergleich der Veränderungsraten der Arbeitsproduktivitäten sinnvoll erscheinen.

Den höchsten durchschnittlichen technischen Fortschritt für die Jahre 1956 bis 1967 zeigt der Umsatzanstieg je geleisteter Arbeitsstunde wP(U/ASt) mit 9,4 %. Die Arbeitszeitverkürzungen erklären die, wenn auch nur unwesentlich niedrigere, durchschnittliche jährliche Wachstumsrate des Umsatzes je Beschäftigten wP(U/A) mit 8,0 %. Dabei ist allerdings auf die unstetige Entwicklung in den einzelnen Jahren hinzuweisen, die auf der unregelmäßigen Verkürzung der Arbeitszeit beruhen dürfte. Für den gleichen Zeitraum ergibt sich ein sogar negativer technischer "Fortschritt" von -0,2 %, wenn man die rein wertmäßige Arbeitsproduktivität P(U/AEnt.) zugrundelegt. Der Umsatz je DM Arbeitsentgelt blieb nahezu konstant. Dies ist auf parallel zum Umsatz gestiegene Löhne und Gehälter zurückzuführen. Dabei sind zwei sich teilweise kompensierende Effekte zu bedenken: Einmal Arbeitszeitverkürzungen, zum anderen Zeitlohnerhöhungen. Eine so gemessene sektorale Wertproduktivität hat eher für den Unternehmer einen Aussagewert; für Freisetzungsprobleme ist sie ungeeignet.

---

1) Anlaß dafür ist die Verwendung all dieser Maße bei Untersuchungen des technischen Fortschritts.

Tabelle 15

Arbeitsproduktivität und technischer Fortschritt im Bauhauptgewerbe Baden-Württembergs 1955 - 1967

- Umsatz je Beschäftigten P(U/A),
  Umsatz je geleistete Arbeitsstunde P(U/ASt.),
  Umsatz je DM Arbeitsentgelt P(U/AEnt.) in DM
  sowie Wachstumsraten in % -

Jahre (t)	Arbeitsproduktivitäten			Technischer Fortschritt		
	P(U/A)	P(U/ASt.)	P(U/AEnt.)	wP(U/A)	wP(U/ASt.)	wP(U/AEnt.)
(o)	(1)	(2)	(3)	(4)	(5)	(6)
1955	11 908	6,0	3,1	.	.	.
1956	13 115	6,4	3,1	10,1	7,0	1,0
1957	13 505	6,9	3,0	3,0	7,0	-3,6
1958	14 479	7,5	3,0	7,2	9,6	0,3
1959	16 878	8,7	3,3	16,6	15,1	8,7
1960	18 374	9,8	3,2	8,9	12,5	-0,6
1961	20 912	11,1	3,2	13,8	14,0	0,0
1962	22 400	12,5	3,2	7,1	12,1	-0,9
1963	23 364	13,6	3,1	4,3	9,4	-3,4
1964	26 931	15,0	3,1	15,3	10,1	0,3
1965	27 689	15,7	2,9	2,8	5,0	-5,2
1966	29 517	16,6	2,9	6,6	5,3	-0,3
1967	29 536	17,5	3,0	0,1	5,6	1,0
Ø w 1956-1964				9,6	10,8	0,2
Ø w 1956-1967				8,0	9,4	-0,2

Quellen: Eigenberechnungen des IAW nach Nr. 3 des Verzeichnisses der Statistischen Quellen.

Für den dritten Bereich des Warenproduzierenden Gewerbes, das Handwerk, gelang es uns nur mithilfe mutiger Annahmen, die Arbeitsproduktivitäten und den technischen Fortschritt zu berechnen. Die Umsätze waren lediglich für die Jahre 1955 und 1962, die Beschäftigten nur zum 30.5.1956 und zum 31.5.1963 zu erhalten. Die in Tabelle 16 ausgewiesenen Arbeitsproduktivitäten P(U/A) und durchschnittlichen Raten des technischen Fortschritts ØwP(U/A) sind demnach sehr vorsichtig zu interpretieren.

Bei aller Vorsicht ist jedoch zu sagen, daß die höchste Arbeitsproduktivität das Nahrungsmittelhandwerk V (1955/56 DM 26.326 und 1962/63 DM 43.573), die niedrigste das Handwerk für Gesundheits- und Körperpflege VI (1955/56 DM 6.649 und 1962/63 DM 10.951) hatte. Das Handwerk für Gesundheits- und Körperpflege zeigt auch den niedrigsten jährlichen technischen Fortschritt mit 9,2 %. Der stärkste technische Fortschritt mit 17,4 % pro Jahr fand im Holzverarbeitenden Handwerk III statt. Trotz der Parallelität zwischen dem Nahrungsmittelhandwerk und der Nahrungs- und Genußmittelindustrie scheint es nicht möglich, die sektorale Aufgliederung der Handwerksgruppen mit der sektoralen Aufspaltung der Industrie zu verknüpfen.

Eine abschließende Zusammenfassung unserer Analyse von sektoraler Arbeitsproduktivität und sektoralem technischen Fortschritt versuchen wir in Tabelle 17. Dabei kommt die Bedeutung der einzelnen Wirtschaftsbereiche für das Land Baden-Württemberg in den Anteilen des Produktionswertes zum Ausdruck (vgl. Spalten 4 und 5).

Die grobe 4-sektorale Gliederung der Gesamtwirtschaft weist dem Warenproduzierenden Gewerbe mit einem Anteil von 56,1 % im Jahre 1957 und einem Anteil von 57,4 % im Jahre 1966 am gesamten Produktionswert die dominierende Rolle zu. Der an-

Tabelle 16

Arbeitsproduktivität und technischer Fortschritt im Handwerk und in den Handwerksgruppen Baden-Württembergs 1955/56 und 1962/63
- Umsatz je Beschäftigten P(U/A) in DM
und durchschnittliche jährliche Wachstumsrate in % -

Handwerksgruppe a)	Arbeitsproduktivität P(U/A)		Technischer Fortschritt Ø wP(U/A) 1955 - 1963
	1955/56	1962/63	
(o)	(1)	(2)	(3)
I	10 033	19 916	14,1
II	17 708	33 346	12,6
III	11 054	24 517	17,4
IV	8 557	17 472	14,9
V	26 326	43 573	9,4
VI	6 649	10 951	9,2
VII	15 810	26 165	9,4
Handwerk insgesamt	13 858	25 901	12,4

a) Vgl. Hz.-Gliederung S. 37.

Quellen: Eigenberechnungen des IAW aus Nr. 11 und Nr. 12 des Verzeichnisses der statistischen Quellen.

Tabelle 17

Sektoraler Vergleich von Arbeitsproduktivität, technischem Fortschritt und Strukturänderungen in Baden-Württemberg 1957 - 1966

Wirtschaftsbereich	Arbeitsprod.i.DM P(Y/A)bzw.P(U/A)		Techn. Fortschritt Ø wP	Anteile d.Produktionswertes in % Y-bzw. U-Anteil		Produktionswachstum ØwY,ØwU
	1957	1966	1958-1966	1957	1966	1958-1966
(o)	(1)	(2)	(3)	(4)	(5)	(6)
1.Land- u.Forstwirtsch.	3240	6225	7,9	7,4	4,1	2,8
2.Warenprod.Gewerbe	9157	18315	8,1	56,1	57,4	10,0
3.Handel und Verkehr	8354	19828	10,3	16,7	15,5	8,8
4.Übrige Dienstleistungen	10762	20644	7,6	19,8	23,1	11,6
Gv.-Sektoren [a] insgesamt	8161	17583	8,9	100	100	9,7
Handwerk	17643[b]	39649[b]	13,9[b)c]	24,1[b]	26,9[b]	16,3[b)c]
Bauhauptgewerbe	13505	29517	9,2	5,4	7,4	13,3
Industrie(Hauptbeteiligte)	24426	43005	6,5	70,5	65,7	8,4
Hz.-,Bh.-,Ib.-Sektoren[d] insgesamt	21500	40709	9,9[c]	100	100	13,4[c]
I. Bergbau	24010	38837	5,9	0,3	0,2	1,9
II. Eisen-,Ne-Metallerz.	26040	43045	6,5	4,8	4,8	8,8
III. Stahl, Maschinen, Fahrzeuge...	24336	42954	6,6	24,3	28,0	10,2
IV. Elektrotechnik, Feinmechanik...	19097	35561	7,2	19,5	22,1	9,9
V. Chemische Industrie...	37727	61606	5,6	4,8	5,4	9,9
VI. Steine u.Erden...	20513	44345	9,0	3,0	3,5	10,2
VII. Holz,Papier,Druck...	23099	40142	6,4	10,5	9,4	7,1
VIII.Kunststoff, Gummi, Asbest	18202	36774	5,2	1,3	2,3	15,7
IX. Leder,Textil, Bekleidung ...	20433	36019	6,6	18,6	14,6	5,5
X. Nahrungs-, Genußmittel	52304	90123	6,3	13,0	9,7	7,6
Ib.-Sektoren[b] insgesamt	24426	43005	6,5	100	100	8,4

a) Vgl. Gv.-Gliederung S. 34 f.
b) Durch lineare Extrapolation aus Stichtagswerten ermittelt.
c) Jahresmittel des prozentualen Gesamtzuwachses.
d) Vgl. Ib.- und Hz.-Gliederung S. 36 f.

Quellen: Eigenberechnungen des IAW aus Tabellen 6 - 8, 11, 14, 15 und den dort angegebenen Quellen.

teilsmäßig unbedeutendste Bereich Land- und Forstwirtschaft ist von 7,4 % im Jahre 1957 auf 4,1 % im Jahre 1966 abgefallen. Auch der Anteil des Handels und Verkehrs hat hier geringfügig ab-, der Anteil der Übrigen Dienstleistungen dagegen nicht unerheblich zugenommen.

Die Gewichtsverschiebung ist auf die unterschiedlichen jährlichen Wachstumsraten der Produktion zwischen 1958 und 1966 zurückzuführen (vgl. Spalte 6). Für die gesamte Wirtschaft ergab sich ein jährliches Produktionswachstum von 9,7 %, für die Übrigen Dienstleistungen von 11,6 %, das Warenproduzierende Gewerbe von 10,0 %, den Handel und Verkehr von 8,8 % und die Land- und Forstwirtschaft von 2,8 %.

Die Aufspaltung des Warenproduzierenden Gewerbes in seine drei Bereiche Handwerk, Bauhauptgewerbe und Industrie läßt einen leichten Rückgang im stärksten Sektor, der Industrie, von 70,5 % auf 65,7 % sowie einen Anstieg im Handwerk von 24,1 % auf 26,9 % und im Bauhauptgewerbe von 5,4 % auf 7,4 % am Produktionswert, 1966 verglichen mit 1957, erkennen. Die durchschnittliche jährliche Rate des Produktionswachstums zwischen 1958 und 1966 war im Handwerk mit 16,3 % am höchsten, gefolgt vom Bauhauptgewerbe mit 13,3 % und der Industrie mit nur 8,4 % [1)].

Die Reihung der vier Hauptsektoren des Landes nach der Arbeitsproduktivität in DM ergibt für 1957 folgendes Bild: An erster Stelle stehen die Übrigen Dienstleistungen mit DM 10.762, gefolgt vom Warenproduzierenden Gewerbe mit DM 9.157, dem Handel und Verkehr mit DM 8.354 und der Land- und Forstwirtschaft mit DM 3.240. Im Jahre 1966 sind wiederum

---

1) Zu der Aufspaltung der Industrie in die zehn Industriegruppen vgl. S. 51 ff.

die Übrigen Dienstleistungen mit DM 20.644 Spitzenreiter, diesmal gefolgt vom Handel und Verkehr mit DM 19.828, dem Warenproduzierenden Gewerbe mit DM 18.315 und der Land- und Forstwirtschaft mit DM 6.225.

In den drei Bereichen des Warenproduzierenden Gewerbes blieb die Rangfolge nach der Arbeitsproduktivität unverändert: Industrie, Handwerk, Bauhauptgewerbe.

Wenden wir uns nunmehr dem technischen Fortschritt zu (vgl. Spalte 3 der Tabelle 17). Interessant ist, daß der Spitzenreiter nach der Arbeitsproduktivität, der Bereich der Übrigen Dienstleistungen, mit 7,6 % im Durchschnitt der Jahre 1958 bis 1966 den letzten Platz unter den vier Hauptbereichen der Gesamtwirtschaft einnimmt. Er liegt damit ebenso wie das Warenproduzierende Gewerbe mit 8,1 % und die Land- und Forstwirtschaft mit 7,9 % unter dem Landesmittel von 8,9 %. Dieses wird nur vom Handel und Verkehr mit 10,3 % übertroffen.

Bei den drei Bereichen des Warenproduzierenden Gewerbes schließlich kehrt sich die Rangfolge nach der Arbeitsproduktivität um: Den ersten Platz nimmt mit 13,9 % das Handwerk, den zweiten mit 9,2 % das Bauhauptgewerbe und den dritten die Industrie mit 6,5 % technischem Fortschritt im Durchschnitt der Jahre 1958 bis 1966 ein.

Fassen wir abschließend das Ergebnis unserer Analyse der sektoralen Arbeitsproduktivitäten zusammen:

1. Die praktikable Messung des technischen Fortschritts stimmt nur bei Konstanz des Preisniveaus, der Nettoquote, der Erwerbsquote und der Pendlersaldenquote mit dem theoretisch gebotenen Maß des technischen Fortschritts überein. Quantifizieren lassen sich nur der Preiseffekt sowie die Änderung der Nettoquote auf Landesebene.

2. Die Sektoren Land- und Forstwirtschaft, Warenproduzierendes Gewerbe, Handel und Verkehr sowie Übrige Dienstleistungen unterscheiden sich sowohl durch die Höhe ihrer Arbeitsproduktivität als auch durch das Ausmaß des technischen Fortschritts. Die geringste Produktivität weist mit weitem Abstand die Land- und Forstwirtschaft auf. Der technische Fortschritt im Bereich der Übrigen Dienstleistungen und in der Land- und Forstwirtschaft liegt erheblich unter den Fortschrittsraten im Warenproduzierenden Gewerbe sowie im Handel und Verkehr.

3. Die Industrie, nach ihrem Anteil am Produktionswert der weitaus größte Bereich des Warenproduzierenden Gewerbes, verfügt auch über die höchste Arbeitsproduktivität. Die Fortschrittsrate der Industrie dagegen liegt insgesamt und in allen ihren zehn Gruppen unter den Raten des Handwerks und des Bauhauptgewerbes.

4. Von den Industriegruppen verzeichnete die Nahrungs- und Genußmittelindustrie im Jahre 1966 die höchste Arbeitsproduktivität, gefolgt von der Chemischen Industrie. Die Kunststoff-, Gummi-, Asbestindustrie, die Leder-, Textil-, Bekleidungsindustrie und die Elektrotechnische und Feinkeramische Industrie lagen am Ende der Produktivitätsskala. Den stärksten technischen Fortschritt wies die Industrie der Steine und Erden auf, den schwächsten die Kunststoff-, Gummi- und Asbestindustrie.

2. Die regionale Arbeitsproduktivität

Im letzten Abschnitt haben wir versucht, die sektoralen Strukturen des Landes Baden-Württemberg unter unserer Fragestellung isoliert zu betrachten. Bevor wir eine Verknüpfung der sektoralen mit der regionalen Produktivitätsstruktur vornehmen, wollen wir zunächst den regionalen Strukturkreis für sich allein darstellen. Dabei geht es - wie erwähnt - darum, Produktivitätsrelationen der regionalen Untereinheiten, den Stadt- und Landkreisen, zur regionalen Gesamteinheit, dem Lande, und deren zeitliche Veränderungen zu untersuchen [1].

Anzumerken ist in diesem Zusammenhang, daß es regionale Arbeitsproduktivitäten im eigentlichen Sinne nicht gibt. Die regionale Arbeitsproduktivität und ihre Veränderung, d.h. der regionale technische Fortschritt, müssen als das Ergebnis der sektoralen Arbeitsproduktivitäten und ihrer Veränderungen verstanden werden [2]. Unterschiedliche regionale Produktivitäten und Fortschrittsraten sind grundsätzlich die Ergebnisse unterschiedlicher sektoraler Strukturen in den einzelnen Stadt- und Landkreisen. Diesen Zusammenhängen werden wir nachgehen, wenn wir uns der Verknüpfung der sektoralen mit der regionalen Arbeitsproduktivität zuwenden.

In Tabelle 18 sind für die Stadt- und Landkreise Baden-Württembergs Arbeitsproduktivitäten, Fortschrittsraten, Strukturanteile und regionale Wachstumsraten einander gegenübergestellt. Die eigentlich zu fordernde Relation zwischen dem Produktionswert Y sowie den selbständig und unselbständig Beschäftigten P(Y/A) läßt sich für den Beobachtungszeitraum 1957 bis 1966 auf Kreisebene mit dem vorhandenen Material

1) Vgl. hierzu S. 2.
2) Vgl. hierzu S. 39.

Tabelle 18

Regionaler Vergleich von Arbeitsproduktivitäten, technischem Fortschritt und Strukturänderungen der Stadt- und Landkreise in Baden-Württemberg 1957 - 1966

1. Regierungsbezirk Nordwürttemberg

Kreise [b]	Arbeitsproduktivität in DM [a]						Techn. Fortschritt [a]			Bruttoinl.prod.Y		
	P(Y/B)		P(Y/W) [c]		P(Y/Au)		Ø w P(Y/B)	Ø w P(Y/W)	Ø w P(Y/Au)	Y-Anteile an Land		ØwY
	1957	1966	1957	1966	1957	1966	58/66	58/66	58/66	1957	1966	58/66
(o)	(1)	(2)	(3)	(4)	(5)	(6)	(7)	(8)	(9)	(10)	(11)	(12)
S	7414	16556	5640	11840	16138	33162	9,3	8,6	8,3	14,6	14,4	9,5
HN-S	8150	13578	5450	9033	d)	d)	5,8	5,8	d)	2,1	1,8	7,7
UL-S	7124	14678	4990	9150	d)	d)	8,4	7,0	d)	2,1	1,9	8,2
AA	3559	6726	3610	6775	10209	19424	7,3	7,2	7,4	1,5	1,4	8,8
BK	3189	5624	3710	6588	8795	15813	6,5	6,6	6,7	0,9	0,8	9,0
BB	4788	11961	5130	12294	12467	35668	10,7	10,2	12,4	1,9	3,1	16,0
CR	2745	5083	2820	5297	10717	17094	7,1	7,3	5,3	0,5	0,5	8,0
ES	4366	8138	5140	9457	10147	19651	7,2	7,0	7,6	2,5	2,6	10,2
GP	4455	8288	4530	8459	10497	19385	7,1	7,2	7,1	2,7	2,5	8,5
HDH	5717	8860	5560	8651	13477	21484	5,0	5,0	5,3	1,9	1,5	6,8
HN-L	2737	5711	3660	7267	12896	23512	8,5	7,9	6,9	1,4	1,5	10,6
KÜN	3247	6894	3110	6514	10579	20323	8,7	8,6	7,5	0,3	0,3	9,9
LEO	2997	6324	5220	9802	7646	16940	8,7	7,3	9,2	0,8	1,1	13,1
LB	4030	7836	4670	9250	9466	19481	7,7	7,9	8,3	2,9	3,1	10,7
MGH	3073	6013	2940	5642	10410	21671	7,7	7,5	8,5	0,4	0,4	8,7
NT	4132	7359	4660	8247	10360	19920	6,6	6,5	7,5	1,6	1,5	9,1
ÖHR	2879	5252	3130	5936	9786	17637	6,9	7,4	6,8	0,4	0,3	8,3
GD	3455	7271	3580	7436	9111	19160	8,6	8,5	8,6	1,1	1,1	9,9
SHA	3245	6206	3320	6323	10931	19129	7,5	7,4	6,4	0,6	0,5	8,5
UL-L	2550	4705	3770	7033	12489	21979	7,0	7,2	6,5	0,6	0,6	9,0
VAI	3297	6361	3900	7309	8420	16766	7,6	7,2	8,0	0,7	0,8	10,2
WN	3477	7052	4520	8799	8315	17864	8,2	7,7	8,9	1,9	2,2	11,7
Insgesamt	4791	9479	4750	9308	.	.	7,9	7,8	.	43,6	44,0	9,8

2. Regierungsbezirk Nordbaden

KA-S	5676	13037	4260	9567	d)	d)	9,7	9,4	d)	4,2	4,6	11,0
HD-S	4316	10346	3670	7884	d)	d)	10,2	8,9	d)	1,7	1,8	10,1
MA-S	7569	13292	5500	9845	18005	29635	6,5	6,7	5,7	7,2	6,1	7,8
PF-S	7962	15438	4810	9857	d)	d)	7,6	8,3	d)	1,9	1,9	9,4
BR	3133	5888	3800	6930	8751	17207	7,3	6,9	7,8	1,1	1,1	9,3
BCH	2440	5000	2590	5387	9678	17729	8,3	8,5	7,0	0,5	0,5	9,5
HD-L	2643	5416	3520	7335	9063	19149	8,3	8,5	8,7	1,2	1,3	11,1
KA-L	2369	4809	3570	6849	11360	23444	8,2	7,5	8,4	1,2	1,3	10,6
MA-L	3066	5793	4050	7318	8093	15999	7,3	6,8	7,9	1,5	1,4	9,5
MOS	2800	5757	3160	6384	9830	18846	8,3	8,1	7,5	0,5	0,6	10,8
PF-L	2273	4607	4470	8342	12505	25127	8,2	7,2	8,1	0,4	0,5	10,3
SNH	2416	5119	3060	6351	7483	16191	8,7	8,5	9,0	0,6	0,6	10,3
TBB	2718	5923	2850	6299	10199	20960	9,0	9,2	8,3	0,7	0,7	10,0
Insgesamt	4379	8657	4230	8335	.	.	7,9	7,8	.	22,6	22,3	9,5

Fortsetzung der Tabelle 18

3. Regierungsbezirk Südbaden

Kreise[b]	Arbeitsproduktivität in DM[a]						Techn. Fortschritt[a]			Bruttoinl.prod. Y		
	P (Y/B)		P (Y/W)[c]		P (Y/Au)		Ø w P (Y/B)	Ø w P (Y/W)	Ø w P (Y/Au)	Y-Anteile an Land		Ø wY
	1957	1966	1957	1966	1957	1966	58/66	58/66	58/66	1957	1966	58/66
(o)	(1)	(2)	(3)	(4)	(5)	(6)	(7)	(8)	(9)	(10)	(11)	(12)
FR-S	4830	10324	4020	7925	d)	d)	8,8	7,8	d)	2,1	2,3	10,8
BAD	8326	11677	6990	9425	21182	30061	3,8	3,4	4,0	1,1	0,6	3,6
BH	3200	5967	3510	6685	10271	20050	7,2	7,4	7,7	0,8	0,7	9,0
DS	2899	6324	3290	6852	8792	19962	9,1	8,5	9,5	0,6	0,7	11,1
EM	2781	5390	3090	6353	8370	16559	7,6	8,3	7,9	0,9	0,9	9,3
FR-L	1734	4006	2410	5960	10922	21703	9,8	10,6	7,9	0,4	0,5	12,6
NEU	3111	6147	3180	6232	10969	21115	7,9	7,8	7,5	0,4	0,4	9,5
KEL	2720	6075	3110	6785	10465	19845	9,3	9,1	7,4	0,4	0,5	10,9
KN	4187	7375	4320	7346	11755	21220	6,5	6,1	6,8	2,0	1,8	8,8
LR	4100	9563	4360	10437	12240	29090	9,9	10,2	10,1	1,0	1,1	11,1
LÖ	3760	7375	4220	7779	10295	19807	7,8	7,0	7,5	1,5	1,5	9,5
MÜL	2432	5124	2710	5759	8170	15826	8,6	8,7	7,6	0,4	0,4	10,5
OG	3667	7926	3510	7414	11304	24588	8,9	8,7	9,0	1,1	1,2	10,5
RA	4233	8239	4610	9104	11313	22936	7,7	7,9	8,2	1,5	1,6	10,2
SÄK	4353	8140	4860	8465	12301	23379	7,2	6,4	7,4	0,9	0,8	9,2
STO	2852	4935	3400	5707	9926	15956	6,3	5,9	5,4	0,4	0,4	8,4
ÜB	2882	5672	3110	5995	10120	22108	7,8	7,6	9,1	0,5	0,6	11,2
VL	4464	8144	4320	7998	10853	21365	6,9	7,1	7,8	1,1	1,1	9,3
WT	3947	6541	4640	7159	14630	22559	5,8	4,9	4,9	0,8	0,6	7,0
WOL	3127	6360	3270	6618	9489	21064	8,2	8,1	9,3	0,5	0,5	9,5
Insges.	3729	7243	3930	7485	.	.	7,7	7,4	.	18,4	18,2	9,6

4. Regierungsbezirk Südwürttemberg-Hohenzollern

BL	4240	8512	4030	8185	10006	21554	8,1	8,2	8,9	1,3	1,3	9,7
BC	3422	7617	3540	7745	11488	25357	9,3	9,1	9,2	1,0	1,2	11,2
CW	3227	6158	3830	7227	8632	18673	7,4	7,3	9,0	1,1	1,2	10,2
EHI	3462	5957	3790	6639	11782	19624	6,2	6,4	5,8	0,5	0,4	8,0
FDS	3836	7465	3830	7546	11632	24115	7,7	7,8	8,4	0,7	0,7	9,3
HCH	2791	5933	3250	6810	7634	16802	8,7	8,6	9,2	0,4	0,5	10,4
HOR	2502	4872	3040	5790	8131	15163	7,7	7,4	7,2	0,3	0,3	9,4
MÜN	2553	4918	2960	5576	8840	17366	7,6	7,3	7,8	0,3	0,3	9,0
RV	3631	6947	3660	7008	11063	21809	7,5	7,5	7,8	1,2	1,1	9,3
RT	4442	8627	4290	8296	10856	22100	7,7	7,6	8,2	2,1	2,1	9,8
RW	3846	7593	3760	7251	9710	18899	7,9	7,6	7,7	1,5	1,4	9,3
SLG	2955	5983	3020	6165	10221	19593	8,2	8,3	7,5	0,6	0,6	9,3
SIG	3574	6007	4040	6424	11474	19519	5,9	5,3	6,1	0,5	0,5	8,1
TT	3749	7398	3650	7141	11076	21303	7,8	7,7	7,5	0,8	0,9	10,6
TÜ	3470	6790	3690	7130	9314	20169	7,7	7,6	9,0	1,3	1,3	10,3
TUT	4009	8123	3960	8112	9882	21333	8,2	8,3	8,9	1,0	1,0	10,1
WG	3490	6904	3510	6914	12301	24565	7,9	7,8	8,0	0,8	0,7	9,4
Insges.	3615	7114	3730	7303	.	.	7,8	7,8	.	15,4	15,4	9,8

a) Zu den Symbolen vgl. Tabelle 4.
b) Autokennzeichen der Stadt- und Landkreise.
c) Leistungskennziffer.
d) In den entsprechenden Landkreisen enthalten.
Quellen: Eigenberechnungen des IAW aus Nr. 1, Nr. 5, Nr. 17 und Nr. 20 des Verzeichnisses der statistischen Quellen.

nicht ermitteln. Die berechnete Ersatzgröße P(Y/Au) ist wegen der regional unterschiedlichen Quoten der unselbständig Beschäftigten (Au/A) für regionale Produktivitätsvergleiche ungeeignet, wie die unterschiedlichen Werte in den Spalten (8) und (9) zeigen.

Das Bruttoinlandsprodukt je Kopf der Wirtschaftsbevölkerung P(Y/W) entspricht eher einer regionalen Arbeitsproduktivität als das Bruttoinlandsprodukt je Kopf der Wohnbevölkerung P(Y/B). Mit der Wirtschaftsbevölkerung wird derjenige Teil der Bevölkerung einer Region erfaßt, der mit seinen Erwerbstätigen tatsächlich an der Erstellung des Bruttoinlandsproduktes dieser Region mitwirkt.

Für die hier zur Diskussion stehende Bestandsaufnahme der regionalen Produktivitätsentwicklung stützen wir uns auf den Produktionswert je Kopf der Wirtschaftsbevölkerung P(Y/W). Für Projektionen regionaler Arbeitsproduktivitäten dagegen erscheint uns die Verwendung der Arbeitsproduktivität gemessen an der Wohnbevölkerung P(Y/B) aus zweierlei Gründen richtiger zu sein. Der erste Grund ist in dem strukturpolitischen Ziel zu sehen, den regionalen Arbeitsmarkt derart ins Gleichgewicht zu bringen, daß Wohn- und Wirtschaftsbevölkerung annähernd identisch sind, interregionale Pendelwanderungen also möglichst klein werden. Zu diesen prinzipiellen Erwägungen tritt ein zweiter, materialbedingter Grund. Eine komplette Zeitreihe der Wirtschaftsbevölkerung für alle Stadt- und Landkreise, die notwendige Basis für die Projektion, stand uns nicht zur Verfügung.

Eine Vorstellung über die Höhe der Arbeitsproduktivität P(Y/W), ihre regionalen Unterschiede und ihre zeitliche Veränderung vermittelt eine Gegenüberstellung der sechs "produktivsten" mit den sechs "unproduktivsten" Stadt- und Landkreisen in den Jahren 1957 und 1966. 1957 lag Baden-Baden mit DM 6.990 an der Spitze, gefolgt von Stuttgart mit

DM 5.640, Heidenheim mit DM 5.560, Mannheim-Stadt mit DM 5.500, Heilbronn-Stadt mit DM 5.450 und Leonberg mit DM 5.220. Im Jahre 1966 sind von diesen sechs Stadt- und Landkreisen noch drei in der Spitzengruppe zu finden: Stuttgart wiederum an zweiter Stelle mit DM 11.840, Mannheim-Stadt, diesmal an fünfter Stelle, mit DM 9.845, und Leonberg wieder an sechster Stelle mit DM 9.802. Neuer Spitzenreiter im Jahre 1966 war Böblingen mit DM 12.294. Hinzugestoßen sind der Landkreis Lahr mit DM 10.437 an dritter Stelle und Pforzheim-Stadt mit DM 9.857 an vierter Stelle.

Die von der Arbeitsproduktivität her als ausgesprochene Entwicklungsgebiete des Landes einzustufenden Kreise waren im Jahre 1957 Mergentheim mit DM 2.940, Tauberbischofsheim mit DM 2.850, Crailsheim mit DM 2.820, Müllheim mit DM 2.710, Buchen mit DM 2.590 und schließlich Freiburg-Land mit DM 2.410. Im Jahre 1966 konnten nur Tauberbischofsheim und Freiburg-Land ihren Rang so verbessern, daß sie nicht mehr in der untersten Produktivitätskategorie zu finden sind. Hinter der bei allen Landkreisen festzustellenden Produktivitätsentwicklung blieben die Landkreise Stockach und Münsingen derart zurück, daß sie 1966 mit DM 5.707 bzw. DM 5.576 an 68. bzw. 70. Stelle aller 72 Stadt- und Landkreise Baden-Württembergs zu finden waren. Müllheim nimmt im Jahre 1966 mit DM 5.759 die 67. Position, Mergentheim mit DM 5.642 die 69., Buchen mit DM 5.387 wiederum die 71. und Crailsheim schließlich mit DM 5.297 die allerletzte Stelle unter den Stadt- und Landkreisen ein.

Dem Versuch einer kartographischen Regionenbildung liegen die Arbeitsproduktivitäten P(Y/W) zugrunde, die wir als Leistungskennziffern bezeichnen. Sie wurden nach ihren Rängen in 12 Gruppen bzw. 4 Kategorien eingeordnet (vgl. Abbildung 1) [1]. In den Abbildungen 2 und 3 sind die Ergebnisse

1) Bei der Bildung von Ranggruppen und Rangkategorien kommt es nur auf die relative Position der Kreise zueinander an; die Unterschiede zwischen den absoluten Kennziffern bleiben unberücksichtigt.

Abbildung 1: Legende zur kartographischen Regionenbildung

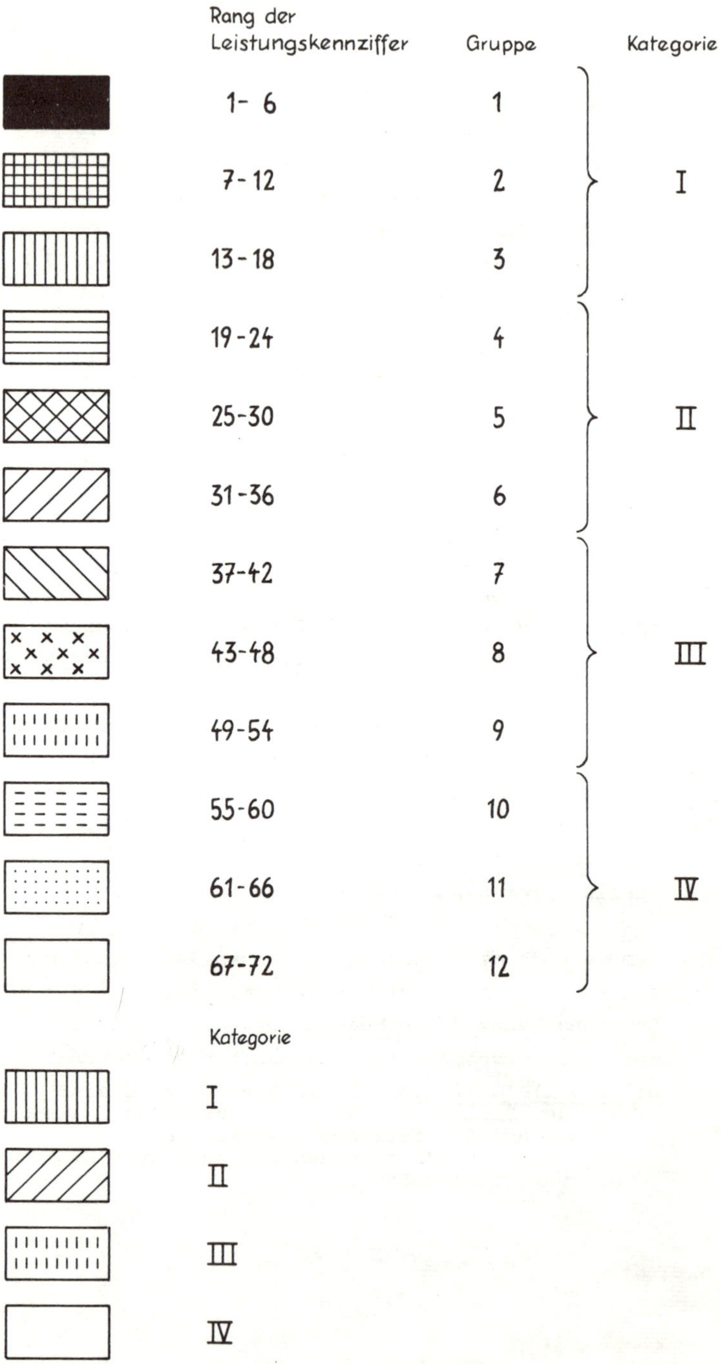

Abbildung 2:

Leistungskenziffern (Ränge)

der Stadt- und Landkreise Baden-Württembergs 1957

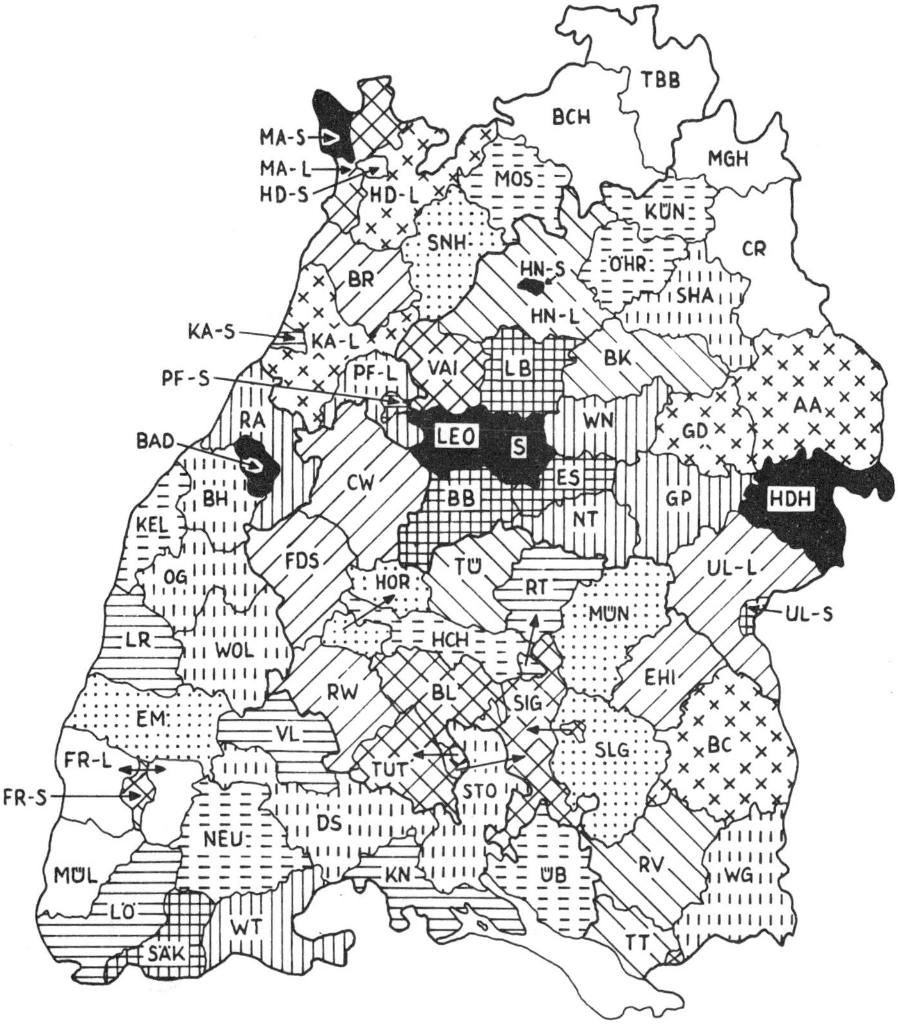

Zur Legende vgl. Abbildung 1.

Abbildung 3:

Zonen nach Rängen der Leistungskennziffern 1957

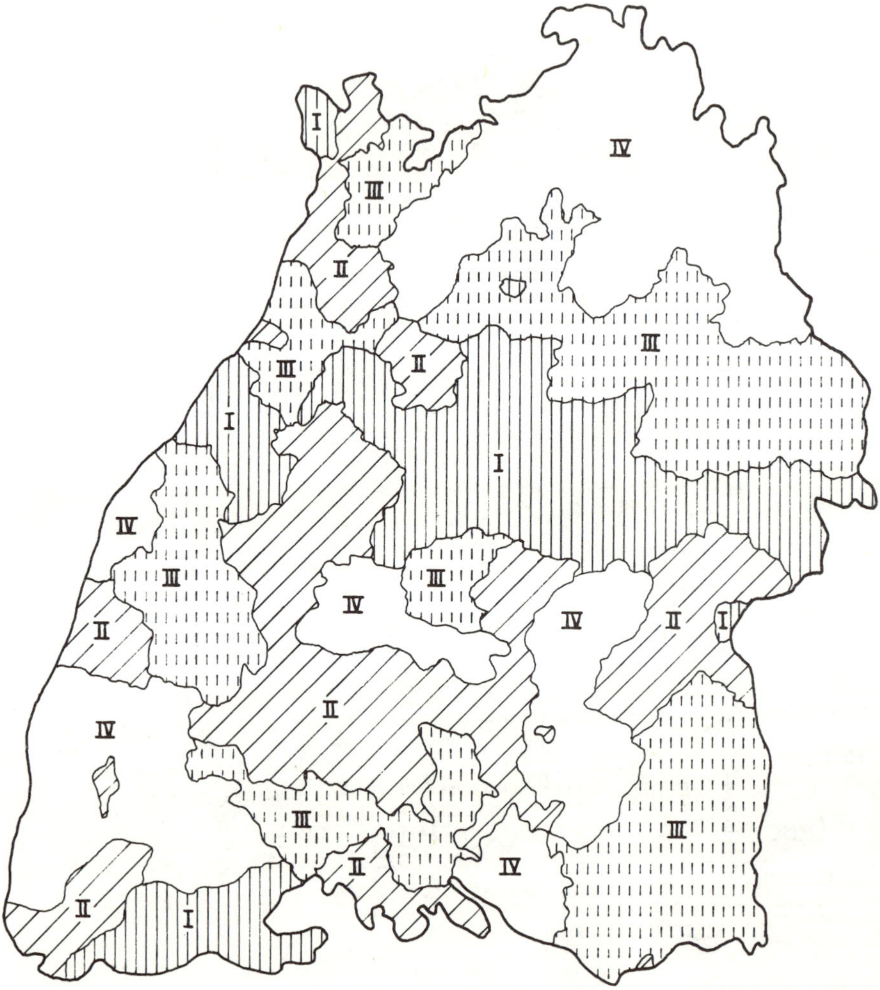

I = Ränge 1 - 18	d.h. Leistungskennziffern	von DM 6.990	bis DM 4.470
II = Ränge 19 - 36		von DM 4.360	bis DM 3.760
III = Ränge 37 - 54		von DM 3.710	bis DM 3.270
IV = Ränge 55 - 72		von DM 3.250	bis DM 2.410

Zur Legende vgl. Abbildung 1.

dieser Regionenbildung für das Jahr 1957, in den Abbildungen 4 und 5 für das Jahr 1966 dargestellt.

Die grobe Zuordnung der Stadt- und Landkreise in Zonen nach den Rängen der Leistungskennziffern für die Jahre 1957 und 1966 (Abbildungen 3 und 5) illustrieren unserer Ansicht nach, auf welche Weise Planungsgemeinschaften unter primär ökonomischen Gesichtspunkten zu bilden wären, die sich dennoch auf die institutionell gegebenen Verwaltungseinheiten, die Stadt- und Landkreise, stützen [1]. Sie zeigen eine Ballung im Zentrum Baden-Württembergs und entsprechen somit recht gut einer in der Raumwirtschaftstheorie üblichen Annahme.

Die in den Abbildungen 3 und 5 eingezeichneten "weißen" Kreise (Kategorie IV) sind unter dem Produktivitätsaspekt die Entwicklungsgebiete des Landes Baden-Württemberg.

Die Veränderungen der Leistungskennziffern bei einzelnen Stadt- und Landkreisen zwischen den Jahren 1957 und 1966 führten zu Verschiebungen in der interregionalen Rangskala. Unter den in Abbildung 6 angegebenen Toleranzgrenzen verzeichneten weniger als die Hälfte aller 72 Stadt- und Landkreise Baden-Württembergs Rangänderungen: 17 Stadt- und Landkreise verbesserten sich in ihrem Leistungsrang um mehr als 5 Platzziffern, 16 Kreise fielen in der Rangskala um mehr als 5 Stellen ab.

Legt man die Abbildung 6 über die Abbildung 3, so ist für die oben als Entwicklungsgebiete apostrophierten Regionen Sinsheim, Mosbach, Buchen, Mergentheim und Crailsheim im Norden, die Kreise Emmendingen, Müllheim und Hochschwarzwald im Südwesten sowie die Kreise Horb, Münsingen, Saulgau und Überlingen eine betrübliche Tatsache festzustellen. Offensichtlich gelang es weder unternehmerischer noch staatlicher Aktivität, die Leistungskraft der genannten Kreise zu stärken. Diese für einen

1) Vgl. hierzu S. 39 f.

Abbildung 4:

Leistungskennziffern (Ränge)

der Stadt- und Landkreise Baden-Württembergs 1966

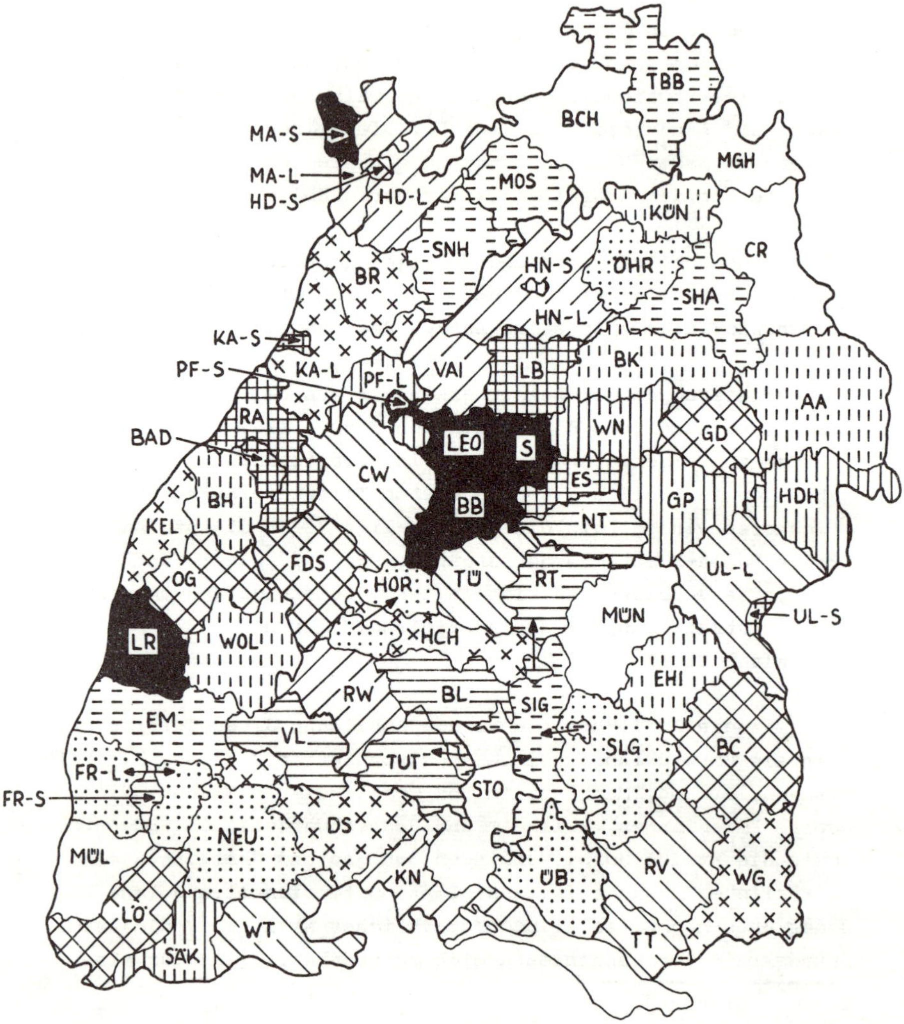

Zur Legende vgl. Abbildung 1.

Abbildung 5:

Zonen nach Rängen der Leistungskennziffern 1966

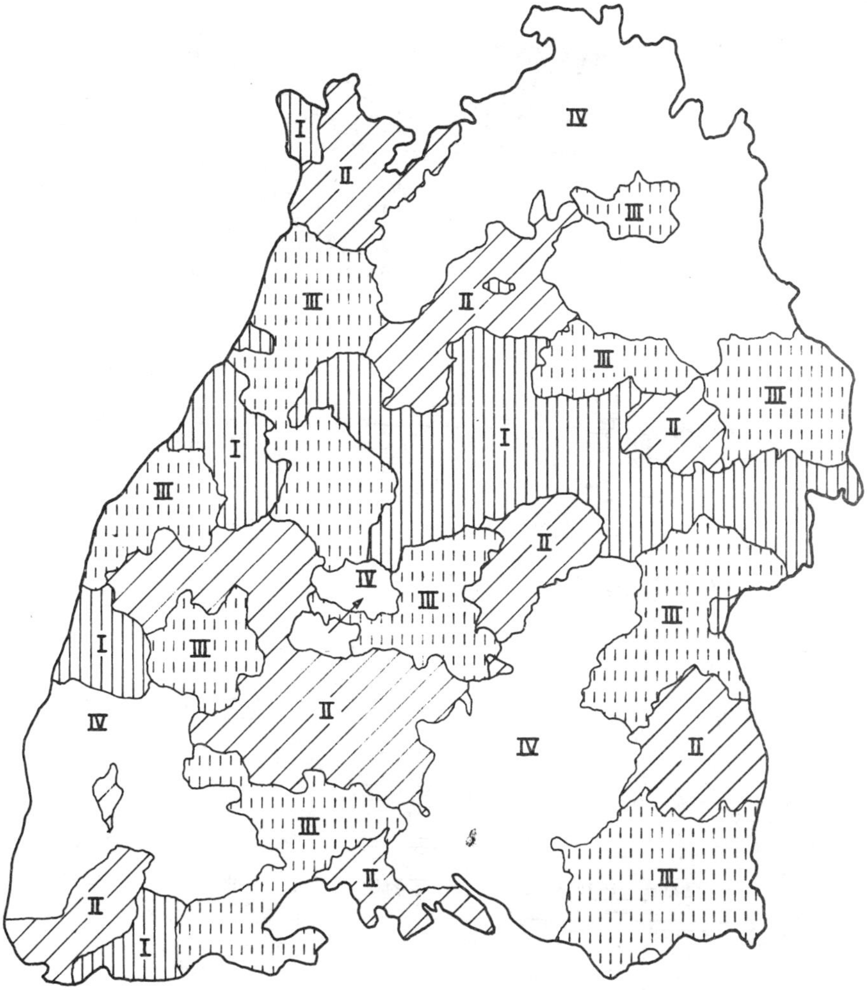

I = Ränge 1 – 18	d. h. Leistungskennziffern von	DM 12.294	bis DM 8.342
II = Ränge 19 – 36		DM 8.296	bis DM 7.251
III = Ränge 37 – 54		DM 7.227	bis DM 6.514
IV = Ränge 55 – 72		DM 6.424	bis DM 5.297

Zur Legende vgl. Abbildung 1.

Veränderungen der Leistungskennziffern (Ränge) und durchschittliche jährliche Wachstumsraten des Bruttoinlandsprodukts in jeweiligen Preisen der Stadt- und Landkreise Baden-Württembergs zwischen 1957 und 1966

(Abbildung 6)

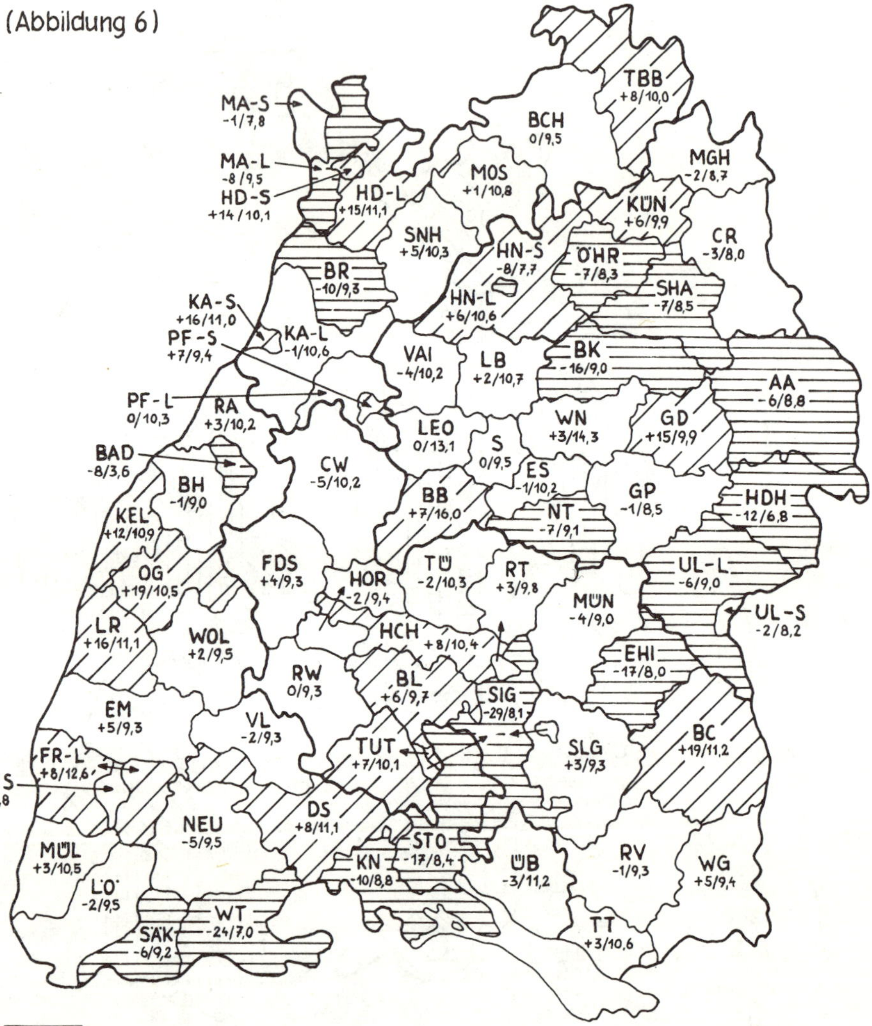

Kreise mit relativ gleichgebliebenem Leistungsrang (Rangänderung zwischen -5 und +5).

Kreise mit relativ stark verbessertem Leistungsrang (Rangänderung größer als +5).

Kreise mit relativ stark verschlechtertem Leistungsrang (Rangänderung größer als -5).

Von den eingetragenen Zahlen bedeuten:

Erste Zahl: Rangänderung der Leistungskennziffer (+: Verbesserung, -: Verschlechterung).

Zweite Zahl: Durchschnittliche jährliche Wachstumsrate des Bruttoinlandsprodukts in jeweiligen Preisen.

Zeitraum von zehn Jahren geltende Feststellung widerspricht auch der These, längerfristig müßten sich derartige Ungleichgewichte in der regionalen Leistungskraft über die Mobilität arbeitskräfteorientierter Unternehmungen ausgleichen [1].

Neben den genauen Rangänderungen der einzelnen Stadt- und Landkreise werden in Abbildung 6 die durchschnittlichen jährlichen Wachstumsraten des regionalen Bruttoinlandsprodukts in jeweiligen Preisen angegeben. In Verbindung mit den in den Spalten (10) und (11) der Tabelle 18 aufgeführten Anteilen der Stadt- und Landkreise am Bruttoinlandsprodukt Y des Landes läßt sich daraus für die Vergangenheit und die zukünftige Entwicklung die Bedeutung der einzelnen Regionen für den gesamtwirtschaftlichen technischen Fortschritt ableiten.

Die drei unterschiedlich definierten Maße für den technischen Fortschritt in den Spalten (7), (8) und (9) der Tabelle 18 zeigen zum Teil erheblich voneinander abweichende jährliche Raten. Die Unterschiede zwischen dem durchschnittlichen Wachstum des Bruttoinlandsprodukts je Einwohner Ø wP(Y/B) und dem des Bruttoinlandsprodukts je Kopf der Wirtschaftsbevölkerung Ø wP(Y/W) beruhen auf unterschiedlichen interregionalen Pendlerströmen. Die Unterschiede zwischen dem durchschnittlichen Wachstum des Bruttoinlandsprodukts je Kopf der Wirtschaftsbevölkerung Ø wP(Y/W) und dem des Bruttoinlandsprodukts je unselbständig Beschäftigten Ø wP(Y/Au) dagegen folgen aus sich interregional im Zeitablauf unterschiedlich verändernden Quoten der unselbständig Beschäftigten.

1) Vgl. D. Schröder, Strukturwandel, Standortwahl ..., a.a.O., S. 195 f.

Der jährliche technische Fortschritt zwischen 1958 und 1966 war, gemessen am Wachstum des Bruttoinlandsprodukts je Kopf der Wirtschaftsbevölkerung, mit 10,6 % im Landkreis Freiburg am stärksten. Lahr und Böblingen mit jeweils 10,2 %, Karlsruhe-Stadt mit 9,4 %, Tauberbischofsheim mit 9,2 % sowie Kehl und Biberach mit je 9,1 % sind die übrigen fortschrittsstarken Kreise. Am unteren Ende der Skala liegen Stockach mit 5,9 %, Heilbronn-Stadt mit 5,8 %, Sigmaringen mit 5,3 %, Heidenheim mit 5,0 %, Waldshut mit 4,9 % und mit erheblichem Abstand Baden-Baden mit 3,4 %.

Ein Vergleich der Rangfolge nach dem technischen Fortschritt mit den Leistungsrängen scheint darauf hinzudeuten, daß leistungsstarken Gebieten von ihrem Niveau her Grenzen in den Fortschrittsraten gesetzt sind. Von diesem Zusammenhang her ergibt sich für die Wirtschaftspolitik, die sich die Förderung strukturschwacher Gebiete als Ziel setzt, ein Nebeneffekt. Wachstumsförderung in strukturschwachen Gebieten kann zu prozentual hohen regionalen technischen Fortschrittsraten führen.

Ein Versuch, regionale Produktivitätsunterschiede zu erklären, könnte mit einer Analyse der Verteilung des Kapitals auf die einzelnen Stadt- und Landkreise unternommen werden. Material darüber steht nicht zur Verfügung [1]. In Abbildung 7 haben wir als Näherungslösung regionale Ranggruppen mithilfe selbst errechneter Gewerbekapitalkennziffern für das Jahr 1958 dargestellt. Zu bemerken ist dazu, daß die zugrundegelegten Zahlen der Steuerstatistik [2] mit einem beträchtlichen systematischen Fehler behaftet sind. Bei aller gebotenen Vorsicht läßt sich jedoch für die in Abbildung 3 eingezeichneten Entwicklungsgebiete eine merkliche Parallelität bei der Kapitalausstattung feststellen.

1) Vgl. S. 6.
2) Vgl. Nr. 7 des Verzeichnisses der statistischen Quellen.

Abbildung 7:

Gewerbekapital - Kennziffern (Ränge)

der Stadt- und Landkreise Baden-Württembergs 1958

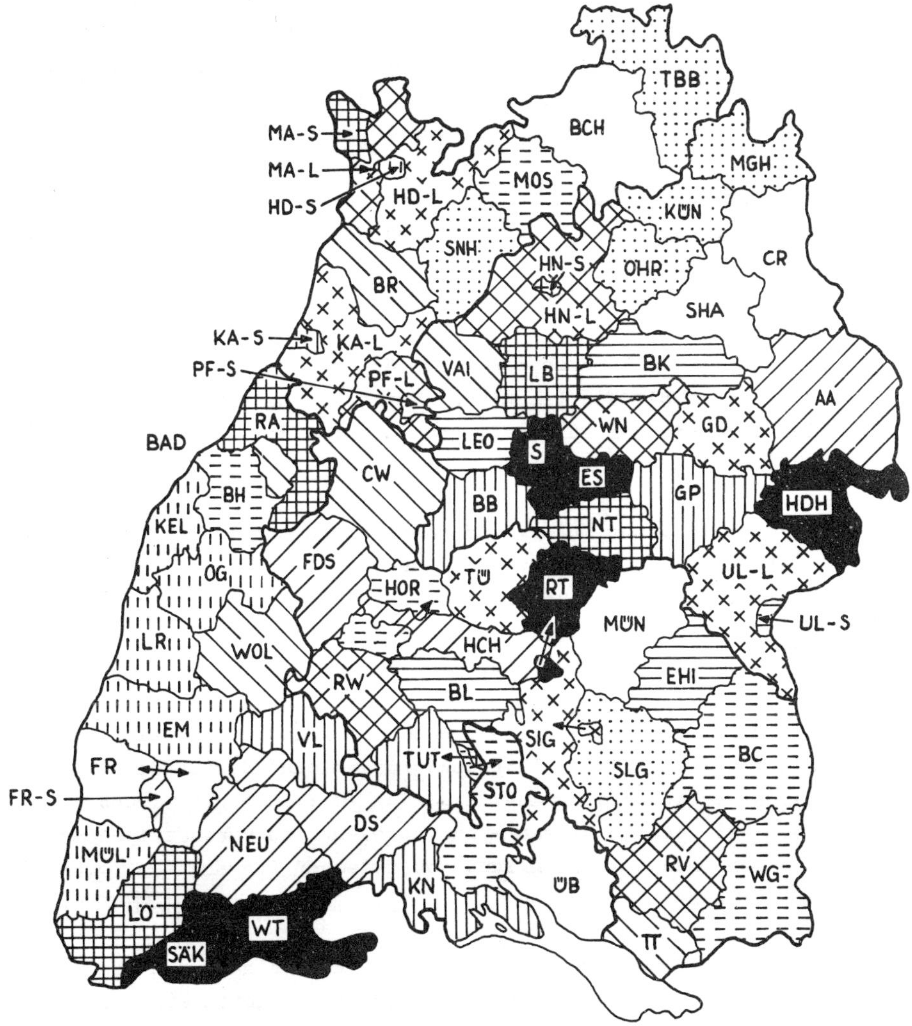

Zur Legende vgl. Abbildung 1.

Ein zweiter Erklärungsversuch für die regionalen Produktivitätsunterschiede kann mithilfe der in Abbildung 8 dargestellten Industriedichte unternommen werden. Eine Rangkorrelation zwischen den Leistungskennziffern und der Industriedichte ergab aber für das Jahr 1966 lediglich einen Koeffizienten von $r_S = 0{,}68$. Dieses Ergebnis verwundert nicht. In den Leistungskennziffern schlagen sich die am Bruttoinlandsprodukt gemessenen Wertschöpfungen aller Sektoren nieder. Das bedeutet, daß regional unterschiedliche sektorale Strukturen, insbesondere auch relativ hohe Dienstleistungsanteile, die Abweichungen zwischen Industriedichte und Leistungskennziffern bewirken.

Gerade mit den aus unterschiedlicher sektoraler Struktur resultierenden regionalen Produktivitätsabweichungen haben wir uns im nächsten Abschnitt zu befassen. Zuvor jedoch wollen wir die Ergebnisse dieses Abschnitts kurz zusammenfassen:

1. Die regionale Arbeitsproduktivität und ihre Veränderung, d.h. der regionale technische Fortschritt, müssen als das Ergebnis der sektoralen Arbeitsproduktivitäten und ihrer Veränderungen verstanden werden.

2. In den einzelnen Stadt- und Landkreisen Baden-Württembergs bestehen erhebliche Unterschiede des Bruttoinlandsprodukts je Kopf der Wirtschaftsbevölkerung. Die so definierte Leistungskennziffer bietet sich als Kriterium für eine ökonomische Regionenbildung an.

3. Bei einer Kategorienbildung nach den Leistungskennziffern kristallisieren sich "Entwicklungsgebiete" des Landes Baden-Württemberg heraus, die sich im Zeitablauf - wenn auch auf höherem Niveau - nur unwesentlich verändert haben. Dennoch sind Umstrukturierungen zwischen den Kreisen festzustellen.

4. Eine Rangordnung der Stadt- und Landkreise nach den Gewerbekapitalkennziffern und nach der Industriedichte wirft ein Streiflicht auf die Ursachen regionaler Produktivitätsunterschiede.

Abbildung 8:

Industriedichte (Ränge) der Stadt- und Landkreise 1966 und ihre Veränderungen im Vergleich zu 1955

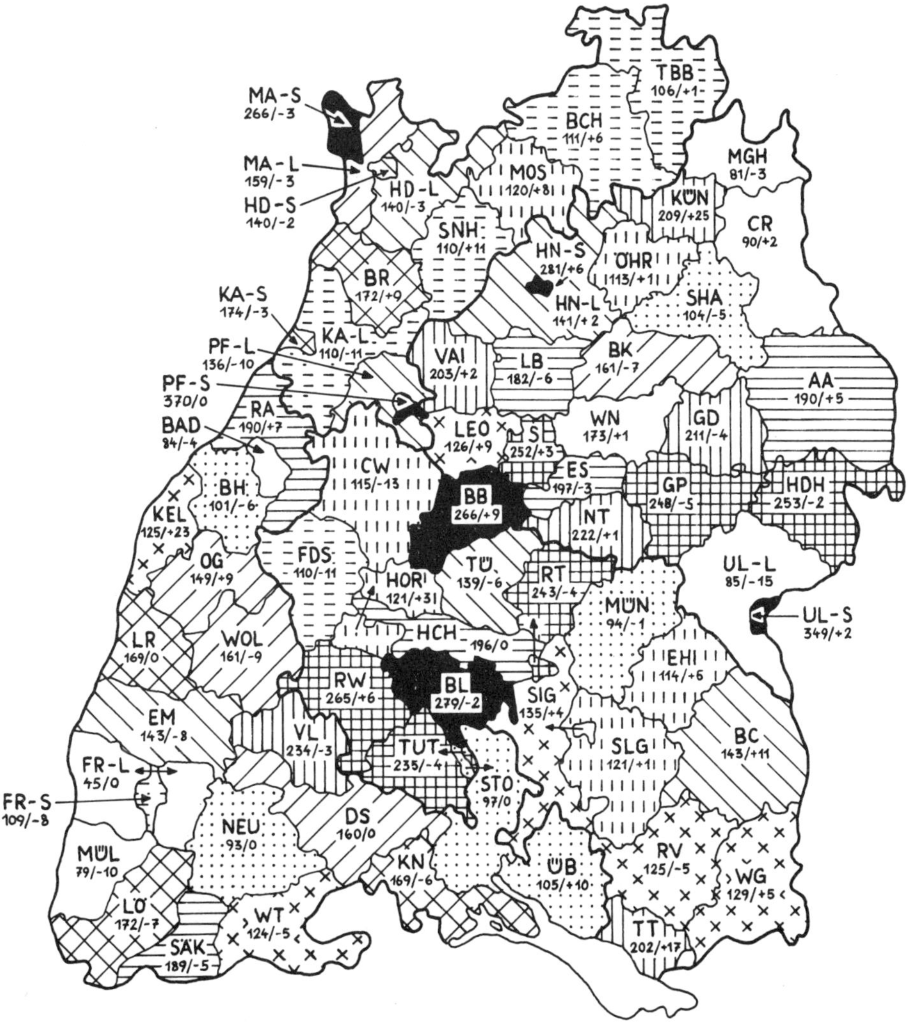

Von den eingetragenen Zahlen bedeuten:

Erste Zahl: Industriebeschäftigte auf 1000 Einwohner (Industriedichte) 1966.

Zweite Zahl: Rangänderung der Industriedichte (+: Verbesserung, -: Verschlechterung) zwischen 1955 und 1966.

Zur Legende vgl. Abbildung 1.

5. Der technische Fortschritt - gemessen an der Wachstumsrate des Bruttoinlandsprodukts je Kopf der Wirtschaftsbevölkerung - streute im Durchschnitt der Jahre 1958 bis 1966 zwischen 3,4 % und 10,6 %. Offensichtlich bestehen regional erhebliche Unterschiede im Ausmaß der Produktivitätssteigerung.

3. Die Verknüpfung der regionalen mit der sektoralen Arbeitsproduktivität

Die materialbedingten Schwierigkeiten, die sich unserem Versuch einer sektoralen und regionalen Verknüpfung der Arbeitsproduktivität und des technischen Fortschritts entgegenstellen, lassen sich am besten in der Formelsprache zeigen. Dabei kann es uns nicht darum gehen, die einzelnen Formeln herzuleiten und zu diskutieren. Sie sollen lediglich die Problematik einer exakten Verknüpfung eindringlich vor Augen führen.

Greifen wir auf die uns aus dem theoretischen Teil (vgl. Kapitel II) bekannten Symbole zurück, so kann die regionale Produktivität P_R in Abhängigkeit von den sektoralen Produktivitäten P_S auf zweierlei Art dargestellt werden. Die unmittelbare Verknüpfung mithilfe des Nenners A führt zu der Formel

$$P_R = \frac{A_{S1}}{A} P_{S1} + \frac{A_{S2}}{A} P_{S2} + \dots + \frac{A_{Sn}}{A} P_{Sn} ; \qquad (8.1)$$

die unmittelbare Verknüpfung mithilfe des Zählers Y ergibt

$$P_R = \left[\frac{Y_{S1}}{Y} \frac{1}{P_{S1}} + \frac{Y_{S2}}{Y} \frac{1}{P_{S2}} + \dots + \frac{Y_{Sn}}{Y} \frac{1}{P_{Sn}} \right]^{-1} , \qquad (8.2)$$

wobei n die Anzahl der Sektoren bedeutet [1].

Die Abhängigkeit des regionalen technischen Fortschritts vom technischen Fortschritt der Sektoren läßt sich mithilfe mehrerer Formelansätze beschreiben, die sich durch unterschiedliche Kombinationen der Gewichtselemente Y, A, w_Y und w_A voneinander abheben. Dabei wird - wie bereits in den Formeln (4.1) bis (5.2) - eine zeitliche Datierung erforderlich. Zur Illustration ein Beispiel:

---

1) Zur Herleitung der Formeln (8.1), (8.2) und (9) sei auf den Anhang verwiesen.

$$w_{P_{Rt}} = \frac{Y_{S1t-1}}{Y_{t-1}} \frac{1+w_{A_{S1t}}}{1+w_{A_t}} (1 + w_{P_{S1t}}) + \ldots +$$

$$+ \frac{Y_{Snt-1}}{Y_{t-1}} \frac{1+w_{A_{Snt}}}{1+w_{A_t}} (1 + w_{P_{Snt}}) - 1 \qquad (9)$$

Man müßte also für die einzelnen Regionen sektorale Angaben über den Arbeitseinsatz A oder die Produktionsmenge Y besitzen, und zwar für die Fortschrittsmessung in einer Zeitreihe, sollte eine unmittelbare Verknüpfung regionaler mit sektoraler Arbeitsproduktivität bzw. technischem Fortschritt gelingen.

Für die vier Sektoren Land- und Forstwirtschaft, Warenproduzierendes Gewerbe, Handel und Verkehr sowie Übrige Dienstleistungen liegen zwar in einer Zeitreihe Werte über den Beitrag zum Bruttoinlandsprodukt, aber nicht über die in diesen Sektoren Beschäftigten vor. Lediglich für das Jahr 1961 stehen uns alle benötigten Werte zur Verfügung. Das bedeutet, daß wir nur für dieses eine Jahr Vorstellungen über die sektoral bedingte regionale Arbeitsproduktivität, nicht jedoch über den technischen Fortschritt dieser vier Sektoren vermitteln können (vgl. Tabelle 19).

Die Unterschiede der in den Spalten (1) bis (4) einander gegenübergestellten regionalen Gesamtproduktivitäten resultieren lediglich aus der Verschiedenartigkeit ihrer Nenner. Aussagen über die Eignung des Bruttoinlandsprodukts je Einwohner P(Y/B), je Kopf der Wirtschaftsbevölkerung P(Y/W) und je unselbständig Beschäftigten P(Y/Au) als Hilfsgrößen für die eigentlich zu fordernde Fortschrittsmessung nach dem Bruttoinlandsprodukt je selbständig und unselbständig Beschäftigten P(Y/A) sind nicht möglich. Dazu wären komplette Zeitreihen notwendig. Blieben die unterschiedlichen Nenner B,

W und Au im Zeitablauf durch einen konstanten Koeffizienten mit A verbunden, so würde jede der drei genannten Produktivitätsarten den gleichen jährlichen technischen Fortschritt ergeben wie das Bruttoinlandsprodukt je Beschäftigten P(Y/A) [1].

Bei der Interpretation der Tabelle 19 gehen wir wiederum so vor, daß wir die sechs "produktivsten" und die sechs "unproduktivsten" Stadt- und Landkreise exemplarisch herausgreifen. Stuttgart nimmt mit einer Arbeitsproduktivität P(Y/A) von DM 15.950 den ersten Rang ein. Die sektoralen Komponenten dieser Spitzenstellung resultieren aus dem zweiten Rang im Sektor Land- und Forstwirtschaft, dem sechsten Rang im Warenproduzierenden Gewerbe und jeweils dem ersten Rang im Handel und Verkehr sowie den Übrigen Dienstleistungen. Baden-Baden, das mit DM 15.840 an zweiter Stelle der regionalen Produktivitätsskala steht, verdankt diese Position primär der Spitzenstellung im Warenproduzierenden Gewerbe. Der Stadtkreis Ulm mit einer Gesamtproduktivität von DM 15.330 hat seine Produktivitätsschwerpunkte in der Land- und Forstwirtschaft (6. Position) und dem Warenproduzierenden Gewerbe (4. Position). Heilbronn-Stadt, das mit DM 15.220 regional an vierter Stelle liegt, nimmt im Warenproduzierenden Gewerbe den zweiten sektoralen Rang ein. Böblingen mit DM 15.100 verdankt seine 5. regionale Rangstelle dem dritten Platz im Warenproduzierenden Gewerbe. Mannheim-Stadt schließlich, mit DM 14.500 an letzter Stelle dieser Spitzengruppe rangierend, ist besonders stark durch Handel und Verkehr (2. Stelle) sowie die Übrigen Dienstleistungen (6. Stelle) und die Land- und Forstwirtschaft (4. Stelle).

Am unteren Ende der regionalen Produktivitätsskala finden sich Mergentheim mit DM 8.030 an 67. Stelle (68. Rang bei den Übrigen Dienstleistungen), gefolgt von Müllheim mit DM 7.860 (Warenproduzierendes Gewerbe 69., Übrige Dienstlei-

---

1) Vgl. S. 46.

Tabelle 19

Verknüpfung von regionaler und sektoraler Arbeitsproduktivität in den Stadt- und Landkreisen Baden-Württembergs 1961 in DM

1. Regierungsbezirk Nordwürttemberg

Kreise [a]	P(Y/B) [b]	P(Y/W) [b]	P(Y/Au) [b]	P(Y/A) [b]				
				Insgesamt	Land- u. Forstwirtschaft	Warenproduzierendes Gewerbe	Handel und Verkehr	Übrige Dienstleistungen
(o)	(1)	(2)	(3)	(4)	(5)	(6)	(7)	(8)
S	11240	8620	22988	15950	15357	16070	14410	17180
HN-S	11134	7690	c)	15220	11000	17320	11630	13430
UL-S	11607	7520	c)	15330	11667	16640	12270	14770
AA	4841	4840	13575	9960	4500	11100	10720	11660
BK	4342	4970	11600	9510	4090	10390	11500	12800
BB	7788	7780	19795	15100	4870	17190	11590	14180
CR	3506	3540	12258	7380	3450	8710	9640	11680
ES	6270	7220	13616	13870	5100	14580	12900	15600
GP	5937	6020	13513	11200	5230	11130	12480	13960
HDH	6267	6030	14847	11510	5520	11960	12030	13550
HN-L	3873	4830	17125	9410	4840	10930	10060	12460
KÜN	4911	4640	15540	9430	3810	11950	10650	13770
LEO	4626	7240	11033	12690	5480	13870	11730	14960
LB	6102	7000	14077	13240	6760	13890	12540	14930
MGH	4263	3990	17473	8030	4030	9370	10760	10000
NT	5455	6020	13580	11110	4260	11710	12620	13780
ÖHR	3923	4330	13188	8830	4240	10320	12350	12230
GD	4766	4860	12233	9660	4070	9860	11880	12040
SHA	4336	4350	13773	8800	3990	8810	12460	12750
UL-L	3425	5060	17252	9820	5900	12200	9190	13060
VAI	4868	5610	12447	10030	4360	11030	10610	13940
WN	5282	6610	12196	12020	5310	12720	12620	14310
Insges.	6919	6790	16590	12940	5000	13730	12900	15040

Fortsetzung der Tabelle 19

2. Regierungsbezirk Nordbaden

Kreise[a)]	P(Y/B)[b)]	P(Y/W)[b)]	P(Y/Au)[b)]	P(Y/A)[b)]				
				Insgesamt	Land-u. Forst-wirt-schaft	Warenpro-duzieren-des Ge-werbe	Handel und Ver-kehr	Übrige Dienst-lei-stungen
(o)	(1)	(2)	(3)	(4)	(5)	(6)	(7)	(8)
KA-S	8130	6110	c)	13760	15000	15710	11080	13570
HD-S	6323	5090	c)	11790	15455	11440	11870	12020
MA-S	9921	7320	22334	14500	13333	14630	13930	14920
PF-S	11197	7310	c)	13540	10000	13440	13760	13940
BR	4638	5470	12758	10300	4940	11540	10300	13230
BCH	3270	3430	11857	7280	4220	7780	10390	11620
HD-L	3951	5110	12477	10240	6040	10330	10790	13230
KA-L	3448	4850	15094	9930	5900	10870	9730	12290
MA-L	4312	5450	11234	11430	7470	11380	10910	14420
MOS	3816	4250	11845	8970	4610	9790	10230	12410
PF-L	3360	5710	17636	8950	4580	9400	9010	15680
SNH	3583	4430	10725	8920	4930	10360	10170	12460
TBB	3833	3950	13589	8240	3730	10360	10270	11680
Insges.	6137	5860	15063	12020	5430	12670	12050	13490

3. Regierungsbezirk Südbaden

FR-S	6696	5360	c)	12060	13333	12250	11400	12320
BAD	8944	7470	24144	15840	8750	21180	10990	14860
BH	4370	4780	13765	9920	4430	12030	12850	10860
DS	4330	4710	13033	9180	5250	9980	10300	11730
EM	3977	4440	11748	8720	5270	9300	9100	11900
FR-L	2809	3970	13969	8140	4740	10710	9040	12830
NEU	4381	4430	14376	8690	4940	11260	10300	8400
KEL	4190	4550	13612	9320	4420	11030	11580	11740
KN	5678	5710	15410	11400	5600	12020	11300	12450
LR	6139	6420	17858	12680	5370	15550	11280	12850
LÖ	5303	5740	13584	11260	4750	13020	9530	12050
MÜL	3562	3960	10727	7860	5070	8410	9930	8840
OG	5205	4900	15360	10520	5170	11860	10640	12480
RA	6446	6820	16697	13350	5060	15680	12510	12210
SÄK	5639	6030	15393	11630	2880	13870	11790	11270
STO	4087	4780	12880	9150	5490	10750	10760	11860
ÜB	4319	4630	16056	9420	5360	11750	9870	10190
VL	6014	5820	14857	10760	4480	11560	11240	11290
WT	5163	5800	17338	11590	4520	16170	9670	11990
WOL	4342	4530	13661	8450	4960	9980	11220	7870
Insges.	5208	5370	15009	10810	5000	12520	10890	11760

Fortsetzung der Tabelle 19

4. Regierungsbezirk Südwürttemberg-Hohenzollern

Kreise[a)]	P(Y/B)[b)]	P(Y/W)[b)]	P(Y/Au)[b)]	P(Y/A)[b)]				
				Insgesamt	Land-u. Forst-wirt-schaft	Warenpro-duzieren-des Ge-werbe	Handel und Ver-kehr	Übrige Dienst-lei-stungen
(o)	(1)	(2)	(3)	(4)	(5)	(6)	(7)	(8)
BL	6013	5720	14189	9590	3350	9840	10710	13390
BC	5408	5530	17455	10960	5840	13780	11120	10840
CW	4637	5300	12678	9680	4680	11260	11550	9910
EHI	4697	5120	15224	10520	5540	14430	9930	10350
FDS	5427	5360	16450	10000	5160	11440	12160	10370
HCH	4077	4740	11014	7570	3720	7780	9980	13160
HOR	3581	4320	10881	7630	4280	8140	10140	12010
MÜN	3556	4030	12045	7860	5040	8650	10470	12010
RV	5241	5220	15536	11330	5990	13160	11180	12330
RT	6115	5860	14598	10740	5010	10680	11400	13300
RW	5441	5180	13380	9290	4060	9130	11180	13420
SLG	4160	4290	13768	8660	5680	9090	11520	11090
SIG	4572	4920	14358	9200	4860	10790	10970	11350
TT	5436	5220	14848	10540	6280	10770	10640	12970
TÜ	4901	5060	13229	10140	4470	10180	11410	13200
TUT	5539	5470	13716	9710	4010	10110	10780	12840
WG	4725	4690	16522	9780	6170	10840	12320	11320
Insges.	5122	5210	14240	9350	5010	10540	11180	12090

a) Autokennzeichen der Stadt- und Landkreise.
b) Zu den Symbolen vgl. Tabelle 4.
c) In den entsprechenden Landkreisen enthalten.

Quellen: Nr. 5 des Verzeichnisses der statistischen Quellen und Eigenberechnungen des IAW aus Nr. 5 und Nr. 17 des Verzeichnisses der statistischen Quellen.

stungen 70. Stelle) und Münsingen mit DM 7.860 (68. Stelle im Warenproduzierenden Gewerbe), Horb mit DM 7.630 an 70. Stelle (mit der gleichen Rangziffer im Warenproduzierenden Gewerbe), Hechingen an 71. Stelle mit DM 7.570 (in der Land- und Forstwirtschaft an 69., im Warenproduzierenden Gewerbe an 71. Stelle) und schließlich Buchen mit DM 7.280 an letzter Position (auch beim Warenproduzierenden Gewerbe an letzter Stelle).

Die Spannweite zwischen dem höchsten Wert (Stuttgart) und dem niedrigsten Wert (Buchen)der regionalen Gesamtproduktivität beträgt, vom niedrigsten Wert her gesehen, 119 %. Bei den sektoralen Arbeitsproduktivitäten lauten die entsprechenden Sätze 60 % im Handel und Verkehr, 118 % bei den Übrigen Dienstleistungen, 172 % im Warenproduzierenden Gewerbe sowie 437 % in der Land- und Forstwirtschaft. Diese regionalen Unterschiede in den sektoralen Produktivitäten lassen sich - wie ein Blick auf die Formeln (8.1) bis (9) zeigt - aus vielerlei Einflußgrößen erklären. Sie können regionalspezifisch begründet, aber auch durch die verschiedenartige Zusammensetzung der Sektoren in den einzelnen Regionen verursacht sein. Bei unseren hochaggregierten Sektoren kann die Homogenitätsanforderung, die an eine sektorale Gliederung zu stellen ist, nicht als erfüllt angesehen werden. Deshalb ist eine unmittelbare Erklärung der regionalen Produktivitätsunterschiede aus dem vorhandenen statistischen Material zum Scheitern verurteilt.

Zwar wissen wir, daß die regionale Arbeitsproduktivität und der regionale technische Fortschritt das Ergebnis sektoraler Arbeitsproduktivitäten bzw. Fortschrittsraten sind. Eine Komponentenanalyse bleibt uns jedoch versagt. Nur über den Zähler der Arbeitsproduktivität und seine Veränderung, das Bruttoinlandsprodukt, können wir sektorale und zugleich regionale Aussagen machen (vgl. Abbildung 9).

Abbildung 9

Anteile der Sektoren am Bruttoinlandsprodukt in jeweiligen Preisen der Stadt- und Landkreise Baden-Württembergs 1957 und 1966 in %

Nordwürttemberg (1)

Anteile der Sektoren am Bruttoinlandsprodukt in jeweiligen Preisen 1957 und 1966[a)] (in %)

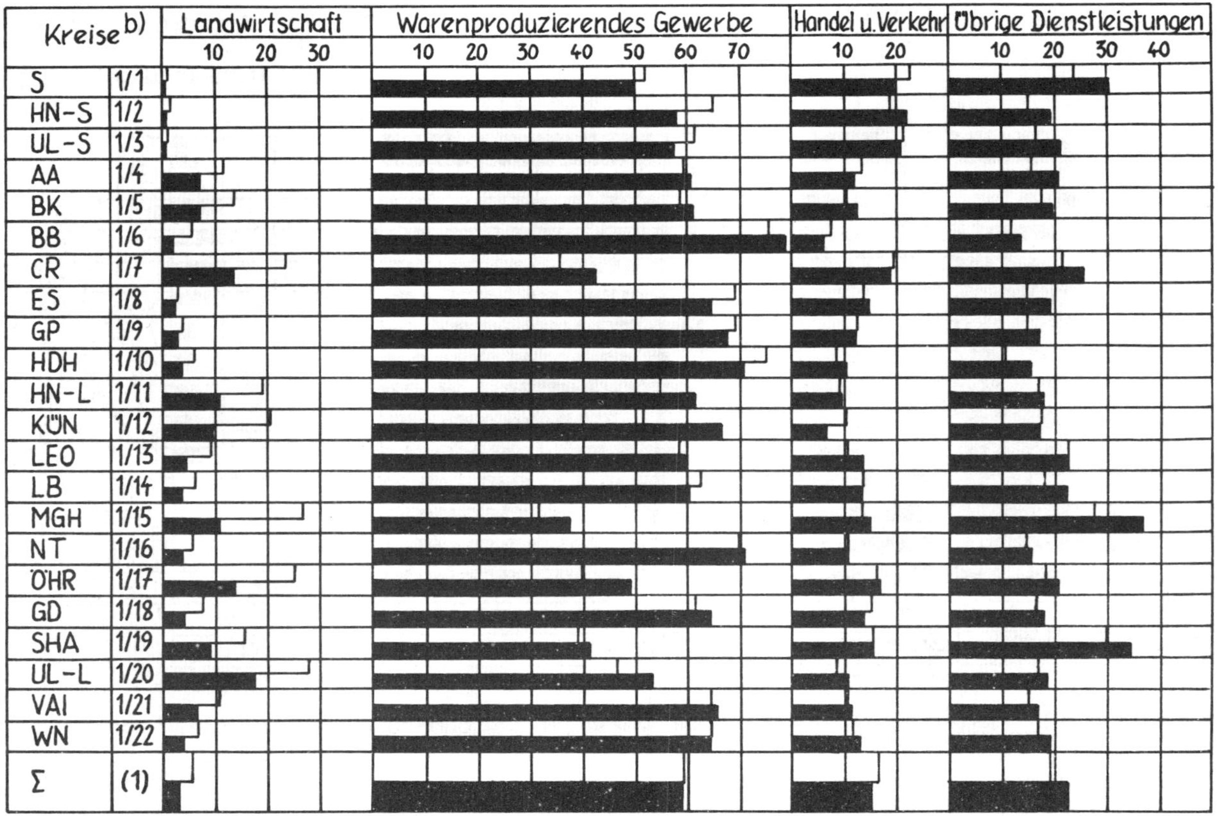

Quelle: Berechnungen des IAW.

Anmerkungen: a) ☐ 1957, ■ 1966; b) Autokennzeichen der Stadt- und Landkreise.

Nordbaden (2)

Anteile der Sektoren am Bruttoinlandsprodukt in jeweiligen Preisen 1957 und 1966[a] (in %)

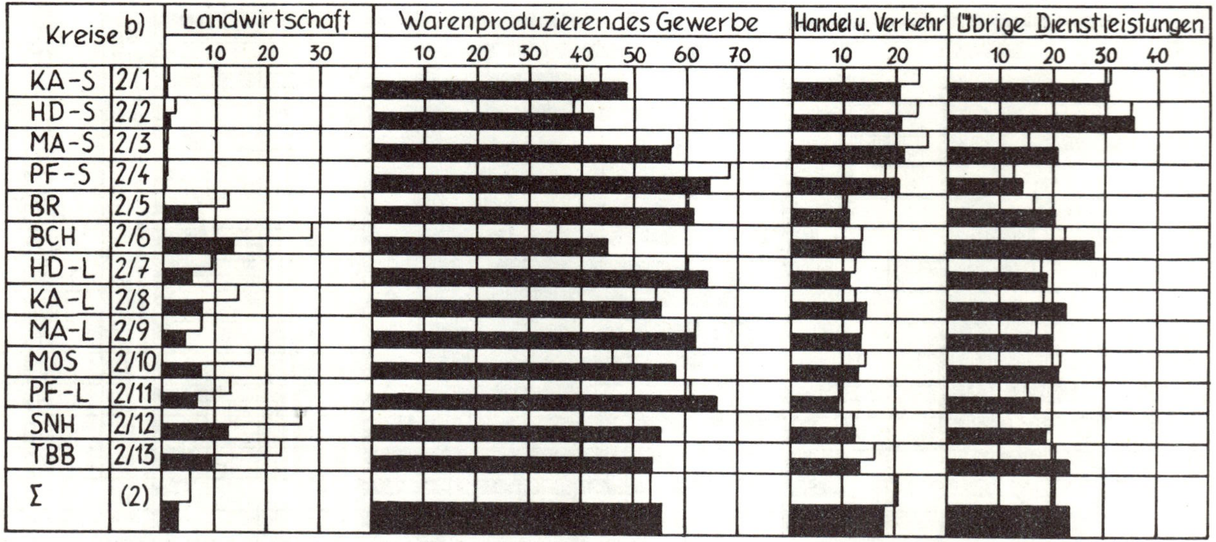

Quelle: Berechnungen des IAW.

Anmerkungen: a) □ 1957, ■ 1966; b) Autokennzeichen der Stadt- und Landkreise.

Südbaden (3)

Anteile der Sektoren am Bruttoinlandsprodukt in jeweiligen Preisen 1957 und 1966[a] (in %)

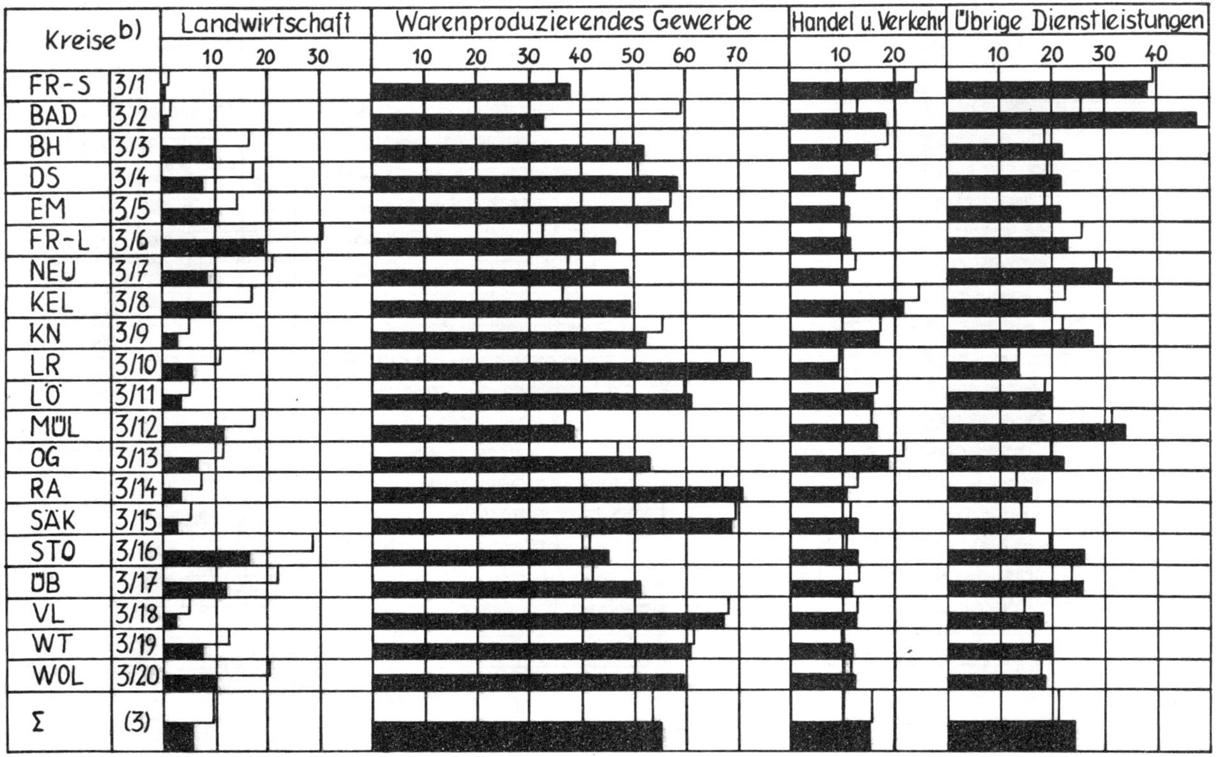

Quelle: Berechnungen des IAW.

Anmerkungen: a) ▭ 1957, ■ 1966 ; b) Autokennzeichen der Stadt - und Landkreise.

Südwürttemberg - Hohenzollern (4)

Anteile der Sektoren am Bruttoinlandsprodukt in jeweiligen Preisen 1957 und 1966 [a] (in %)

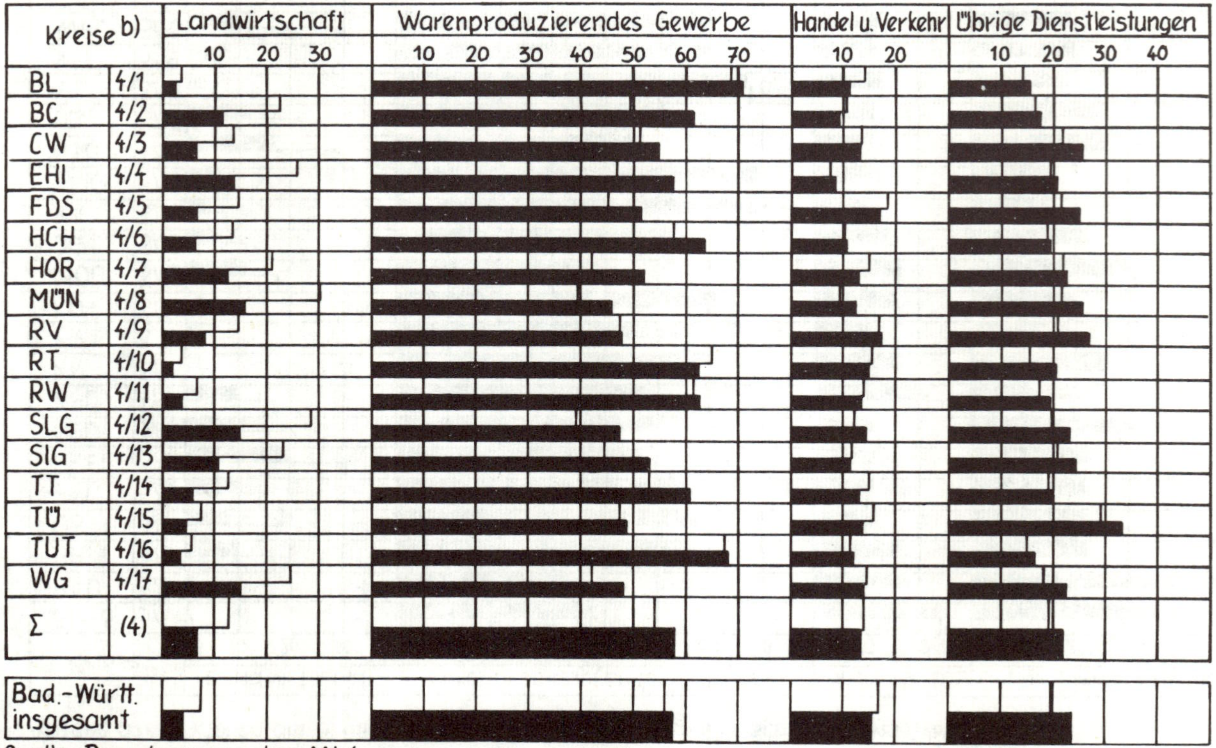

Quelle: Berechnungen des IAW.

Anmerkungen: a) ▭ 1957, ■ 1966; b) Autokennzeichen der Stadt- und Landkreise.

Der größte Sektor in Baden-Württemberg ist das Warenproduzierende Gewerbe, das von 56,1 % im Jahre 1957 auf 57,4 % im Jahre 1966 anwuchs. Es hatte sowohl im Jahre 1957 mit 75,2 % als auch im Jahre 1966 mit 78,7 % im Kreis Böblingen den höchsten Anteil, den niedrigsten im Jahre 1957 in Mergentheim mit 31,7 %, im Jahre 1966 in Baden-Baden mit 32,8 %. Trotz des niedrigen strukturellen Anteils verursachte, wie bereits erwähnt, das Warenproduzierende Gewerbe in Baden-Baden die hohe regionale Produktivität. Das Bruttoinlandsprodukt der Übrigen Dienstleistungen hatte in Baden-Württemberg im Jahre 1957 einen Anteil am Bruttoinlandsprodukt von 19,8 %, der bis zum Jahre 1966 auf 23,1 % anstieg. Am stärksten war der Bereich der Übrigen Dienstleistungen 1957 in Freiburg-Land mit 39,3 %, im Jahre 1966 in Baden-Baden mit 47,6 % vertreten. Der geringste Anteil entfiel 1957 mit 10,6 % auf Heidenheim, im Jahre 1966 mit 13,1 % auf Lahr. Der andere Zweig des Dienstleistungssektors, der Handel und Verkehr, dagegen ist in Baden-Württemberg von 16,7 % im Jahre 1957 auf 15,5 % im Jahre 1966 gesunken. Mannheim-Stadt mit 26,1 % im Jahre 1957 und Freiburg-Stadt mit 23,4 % im Jahre 1966 standen an der Spitze, Böblingen mit 7,3 % im Jahre 1957 und 6,0 % im Jahre 1966 am Ende der Anteilsreihe.

Die Landwirtschaft schließlich ist anteilsmäßig als extrem schrumpfender Bereich anzusprechen. Ihr Anteil am Bruttoinlandsprodukt des Landes nahm von 7,4 % im Jahre 1957 auf 4,1 % im Jahre 1966 ab. Münsingen als stark landwirtschaftlich orientierter Kreis hatte 1957 30,4 %, Stuttgart dagegen nur 0,7 % Anteil. Für das Jahr 1966 lauten die entsprechenden Angaben: Freiburg-Land 19,6 % und Mannheim-Stadt 0,4 %. Diese Aussagen können nur als Fingerzeig für sektoral bedingte unterschiedliche regionale Arbeitsproduktivitäten verstanden werden. Uns scheint, daß man am ehesten noch aus den Produktionsanteilen der Land- und Forstwirtschaft Schlüsse auf das regionale Produktivitätsniveau ziehen kann.

Versuchen wir nun eine Verknüpfung des sektoralen mit dem regionalen technischen Fortschritt für den bedeutendsten Wirtschaftsbereich Baden-Württembergs, das Warenproduzierende Gewerbe. Dieser Bereich läßt sich vom Material her in die drei Gruppen Industrie (Hauptbeteiligte mit 10 und mehr Beschäftigten), Bauhauptgewerbe und Handwerk aufspalten (vgl. Tabelle 20).

Die in Spalte (1) ausgewiesenen regionalen Fortschrittsraten sind näherungsweise identisch mit der durchschnittlichen jährlichen Wachstumsrate des Bruttoinlandsprodukts je Beschäftigten Ø wP(Y/A). Die Näherung besteht in der Berechnung des Nenners A. Er wurde mithilfe der Erwerbsquoten zum 6.6.1961 aus der Wohnbevölkerung ermittelt. Die drei Arbeitsproduktivitäten, die den technischen Fortschrittsraten für Industrie, Bauhauptgewerbe und Handwerk zugrunde liegen, haben als Zähler jeweils den Umsatz U, als Nenner jeweils die exakte Beschäftigtenzahl A. Neben diesem generellen Unterschied der Fortschrittsraten der Bereiche und der Gesamtwirtschaft ergeben sich aus dem statistischen Material noch unterschiedliche zeitliche Dimensionierungen. Insbesondere gegenüber den für das Handwerk in Spalte (4) der Tabelle 20 ausgewiesenen Fortschrittsraten sind größte Bedenken anzumelden. Diese Raten beruhen auf nur zwei Stützwerten, die dazu noch mit einer unterschiedlichen Datierung von Zähler und Nenner der Arbeitsproduktivität behaftet sind.

Bevor wir nun einige quantitative Angaben aus der Tabelle 20 interpretieren, ist nochmals zu betonen, daß hier lediglich ein tastender Versuch vorliegt, dem regionalen technischen Fortschritt mithilfe ausgewählter Fortschrittsraten einzelner Bereiche des Warenproduzierenden Gewerbes auf die Spur zu kommen.

Tabelle 20

Verknüpfung von regionalem technischen Fortschritt und technischem Fortschritt der Industrie (1958 - 1967), des Bauhauptgewerbes (1962 - 1966) sowie des Handwerks (1955 - 1962) in den Stadt- und Landkreisen Baden-Württembergs

1. Regierungsbezirk Nordwürttemberg

Kreise [b]	Technischer Fortschritt Ø wP(Y/A) bzw. Ø wP(U/A) in % [a]			
	Gesamtwirtschaft	Industrie(h 10)	Bauhauptgewerbe	Handwerk
	1958 - 1966	1958 - 1967	1962 - 1966	1955 - 1962
(o)	(1)	(2)	(3)	(4)
S	9,3	11,3	7,8	10,9
HN-S	5,8	4,4	6,1	11,8
UL-S	8,4	7,1	6,8	13,3
AA	7,3	7,6	7,6	12,5
BK	6,5	3,7	6,7	15,7
BB	10,7	7,8	4,8	14,7
CR	7,0	4,0	7,6	13,4
ES	7,2	7,8	6,0	12,9
GP	7,1	6,3	7,0	10,4
HDH	5,0	6,8	8,4	9,4
HN-L	8,5	9,7	10,4	14,5
KÜN	8,7	9,8	12,7	15,9
LEO	8,7	16,6	4,8	15,9
LB	7,7	8,0	5,0	11,8
MGH	7,7	5,2	5,4	13,5
NT	6,6	5,1	6,8	13,3
ÖHR	6,9	5,0	9,2	10,6
GD	8,6	6,8	4,2	12,6
SHA	7,5	5,0	1,0	12,3
UL-L	7,0	8,5	10,8	16,2
VAI	7,6	9,0	4,4	11,7
WN	8,1	8,0	8,3	13,3
Insgesamt	7,9	7,9	6,9	12,0

2. Regierungsbezirk Nordbaden

KA-S	9,7	18,9	7,2	12,8
HD-S	10,2	11,4	36,4	12,8
MA-S	6,5	7,3	12,1	13,0
PF-S	7,6	13,3	9,5	11,3
BR	7,3	7,4	5,9	15,7
BCH	8,3	4,6	7,3	20,0
HD-L	8,3	8,7	9,4	14,3
KA-L	8,2	7,6	7,1	12,6
MA-L	7,3	6,3	3,9	12,5
MOS	8,3	4,8	11,8	14,6
PF-L	8,2	10,0	1,8	14,9
SNH	8,7	6,9	8,6	16,0
TBB	9,0	11,2	4,4	11,8
Insgesamt	7,9	8,8	10,0	13,3

Fortsetzung der Tabelle 20

3. Regierungsbezirk Südbaden

Kreise b)	Technischer Fortschritt Ø wP(Y/A) bzw. Ø wP(U/A) in % a)			
	Gesamtwirtschaft	Industrie (h 10)	Bauhauptgewerbe	Handwerk
	1958 - 1966	1958 - 1967	1962 - 1966	1955 - 1962
(o)	(1)	(2)	(3)	(4)
FR-S	8,6	8,4	8,6	8,0
BAD	3,8	-6,6	5,9	11,0
BH	7,2	6,7	4,8	14,2
DS	9,1	4,8	9,2	12,9
EM	7,6	6,0	7,9	14,1
FR-L	9,8	17,0	11,3	15,5
NEU	7,9	6,2	9,6	17,0
KEL	9,3	14,8	10,4	11,4
KN	6,5	6,2	2,8	11,9
LR	9,9	16,9	16,1	10,4
LÖ	7,8	8,2	9,0	9,9
MÜL	8,6	6,3	7,1	12,3
OG	8,9	7,7	4,7	10,7
RA	7,7	4,2	11,8	13,8
SÄK	7,2	7,0	7,4	11,9
STO	6,3	6,7	9,7	16,2
ÜB	7,8	20,8	9,4	15,0
VL	6,9	8,8	8,2	10,5
WT	5,8	6,2	7,7	12,7
WOL	8,2	7,4	13,3	13,8
Insgesamt	7,7	7,0	8,3	12,0

4. Regierungsbezirk Südwürttemberg-Hohenzollern

BL	8,1	11,4	2,1	13,9
BC	9,3	12,2	8,3	15,2
CW	7,5	9,2	7,8	14,5
EHI	6,2	3,1	-3,9	13,0
FDS	7,7	8,0	1,5	15,3
HCH	8,7	7,1	11,7	16,1
HOR	7,7	4,8	10,6	19,1
MÜN	7,6	3,4	4,8	15,9
RV	7,5	6,2	4,2	10,3
RT	7,7	7,2	6,0	11,0
RW	7,9	6,1	6,1	12,3
SLG	8,2	7,1	11,7	13,9
SIG	5,9	6,3	3,5	17,8
TT	7,9	7,3	3,3	12,1
TÜ	7,7	8,3	5,6	14,6
TUT	8,2	7,3	8,6	12,3
WG	7,9	10,2	8,8	13,5
Insgesamt	7,8	8,1	5,3	13,4
Bad.Württ.	7,8	8,0	7,5	12,3

a) Zu den Symbolen vgl. Tabelle 4.

b) Autokennzeichen der Stadt- und Landkreise.

Quellen: Eigenberechnungen des IAW. aus Nr. 1, Nr. 3, Nr. 4, Nr. 5, Nr. 9, Nr. 11, Nr. 12, Nr. 13 und Nr. 20 des Verzeichnisses der statistischen Quellen.

Bilden wir wiederum Klassen gesamtwirtschaftlicher Fortschrittsraten, so liegt Böblingen mit 10,7 % an der Spitze. Die Industrie trägt dazu durch eine eigene Fortschrittsrate von 7,8 %, das Bauhauptgewerbe durch eine Rate von 4,8 % und das Handwerk durch eine Rate von 14,7 % bei. Heidelberg-Stadt mit einem regionalen technischen Fortschritt von 10,2 % an zweiter Rangstelle, hat in der Industrie eine Fortschrittsrate von 11,4 %, im Bauhauptgewerbe von 36,4 % und im Handwerk von 12,8 %. Die 9,9-%ige regionale Wachstumsrate der Arbeitsproduktivität im Kreis Lahr wird von der Industrie mit 16,9 %, dem Bauhauptgewerbe mit 16,1 % und dem Handwerk mit 10,4 % mitverursacht. Die vierte Stelle in der regionalen Reihung verdankt Freiburg-Land mit 9,8 % offensichtlich der Industrie mit einer Fortschrittsrate von 17,0 %, dem Bauhauptgewerbe mit einer Rate von 11,3 % und dem Handwerk mit einer Fortschrittsrate von 15,5 %. Karlsruhe-Stadt, mit 9,7 % regional an fünfter Stelle, hat in der Industrie einen technischen Fortschritt von 18,9 %, im Bauhauptgewerbe von 7,2 % und im Handwerk von 12,8 % zu verzeichnen. Stuttgart und Kehl schließlich bilden mit jeweils 9,3 % durchschnittlichem regionalem technischen Fortschritt das Ende der Spitzengruppe. Die Bereichs-Fortschrittsraten lauten hier: Industrie 11,3 % bzw. 14,8 %, Bauhauptgewerbe 7,8 % bzw. 10,4 % und Handwerk 10,9 % bzw. 11,4 %.

Am Ende der regionalen Skala technischen Fortschritts stehen Ehingen mit 6,2 %, Sigmaringen mit 5,9 %, Heilbronn-Stadt und Waldshut mit je 5,8 %, Heidenheim mit 5,0 % und weit abgeschlagen Baden-Baden mit 3,8 %. In der Reihenfolge der genannten Stadt- und Landkreise lauten die Fortschrittsraten der Industrie: 3,1 %, 6,3 %, 4,4 %, 6,2 %, 6,8 % und -6,6 %. Das Bauhauptgewerbe hatte in Ehingen eine Wachstumsrate der Arbeitsproduktivität von -3,9 %, in Sigmaringen von 3,5 %, in Heilbronn-Stadt von 6,1 %, in Waldshut von 7,7 %, in Heidenheim von 8,4 % und in Baden-Baden von 5,9 % zu verzeichnen. Das Handwerk schließlich wies in Ehingen einen technischen Fortschritt von 13,0 %, in Sigmaringen von 17,8 %, in Heilbronn-Stadt von 11,8 %, in Waldshut von 12,7 %, in Heidenheim von 9,4 % und in Baden-Baden von 11,0 % auf.

Als Ergebnis dieser exemplarisch genannten Zahlen gewinnt die Hypothese an Plausibilität, die industrielle Fortschrittsrate schlage am stärksten auf die regionale Fortschrittsrate durch. Neben den definitorisch und zeitlich bedingten Einschränkungen, von denen bereits die Rede war, ist darauf hinzuweisen, daß der Erklärungsbeitrag der Bereichs-Fortschrittsraten des Warenproduzierenden Gewerbes vom jeweiligen Produktions- und Beschäftigtenanteil der Bereiche abhängt und - wie bereits erwähnt - insgesamt wiederum nur einen Teil des regionalen technischen Fortschritts ausmacht. So dürfte vor allem auch, das zeigen die Spalten (7), (10) und (11) der Tabelle 7, dem Dienstleistungsbereich ein hoher Erklärungsanteil an den regionalen Fortschrittsraten zukommen.

Grundsätzlich könnte man daran denken, den Datenmangel für eine exakte Verknüpfung regionaler und sektoraler Fortschrittsraten dadurch zu umgehen, daß man den durchschnittlichen sektoralen technischen Fortschritt des Landes zur Erklärung für die regionalen Fortschrittsraten der Stadt- und Landkreise heranzieht. Das würde die Annahme implizieren, in jedem Kreis hätte jeder Sektor - trotz inhomogener Strukturen - eine dem Landesdurchschnitt annähernd gleiche Fortschrittsrate zu verzeichnen. Selbst wenn diese Annahme zutreffen sollte, bleibt noch die Frage der definitorischen Vergleichbarkeit der vorhandenen Fortschrittsraten. Gerade für die viersektorale Aufgliederung der Gesamtwirtschaft erscheint uns die sektorale Homogenitätsannahme so abwegig (vgl. dazu auch Tabelle 19), daß eine Erklärung regionaler Fortschrittsraten aus landesdurchschnittlichen Fortschrittsraten der Sektoren scheitern muß. Für die Untergliederung der Industrie in zehn Industriegruppen dagegen wird die Homogenitätsbedingung besser erfüllt.

Wollten wir die regionalen Fortschrittsraten in der Industrie durch sektorale landesdurchschnittliche Fortschrittsraten erklären, so fehlen dazu - vgl. Formel (9) - alle Gewichtungsfaktoren. Trotz aller Bedenken haben wir den Versuch unternommen, mithilfe der für die zwei größten Industriegruppen der Stadt- und Landkreise vorhandenen Beschäftigtenzahlen durch die Bildung von Fortschrittsklassen den regionalen technischen Fortschritt in der Industrie zu erklären (vgl. Tabelle 21).

Tabelle 21

Verknüpfung von regionalem und sektoralem technischen Fortschritt der Industrie in den Stadt- und Landkreisen Baden-Württembergs 1958 - 1967

Land	Technischer Fortschritt Ø wP(Uh/A) 1958 - 1967 in % [a]																				
	Industrie	Industriegruppe [b]																			
		X		VI		VIII		IV		VII		IX		III		V		II		I	
	8,0	12,4		12,0		11,0		9,0		7,8		7,7		7,5		7,1		6,7		6,7	
		Wachstumsgruppe [c]																			
		A						B		C				D				E			
	Wachstumsgruppe [c]	Nach Beschäftigtenzahlen vorherrschende Industriegruppe [e]																			
Kreise [d]		57	67	57	67	57	67	57	67	57	67	57	67	57	67	57	67	57	67	57	67
ÜB	A							O	x			x			O						
KA-S								O	O					x	x						
FR-L		O		x			x		O												
LR		x								O	O				x						
LEO									O			O		x	x						
KEL				O	x					x							O				
PF-S								xO	xO												
BC												O		x	x		O				
BL												x	x	O	O						
HD-S		O							x					x	O						
S								x	x					O	O						
TBB				x	x					O	O										
WG		O							O			x	x								
PF-L								x	x					O	O						
KÜN						x	x	O	O												
HN-L														xO	xO						
CW								x	xO			O									
VAI	B							x	x					O	O						
VL								xO	x						O						
HD-L		O		x					O						x						
UL-L				x								O	x		O						
FR-S								O	O							x	x				
TÜ	C											x	x	O	O						
LÖ												x	x			O	O				
FDS								O				x	O		x						
LB									O			x		O	x						
WN								x	O					O	x						
BB														xO	xO						
ES								O	O					x	x						
OB										xO	xO										
KA-L								O	O					x	x						
AA								x	O					O	x						
BR	D	O						x	x						O						
WOL								x				O			x				O		
TT														xO	xO						
TUT								xO	xO												
MA-S								x	x					O	O						

Fortsetzung der Tabelle 21

Land	Technischer Fortschritt Ø wP(Uh/A) 1958 - 1967 in % a)																				
	Industrie	Industriegruppe b)																			
		X		VI		VIII		IV		VII		IX		III		V		II		I	
	8,0	12,4		12,0		11,0		9,0		7,8		7,7		7,5		7,1		6,7		6,7	
		Wachstumsgruppe c)																			
		A						B		C				D				E			
Kreise d)	Wachstumsgruppe c)	Nach Beschäftigtenzahlen vorherrschende Industriegruppe e)																			
		57	67	57	67	57	67	57	67	57	67	57	67	57	67	57	67	57	67	57	67
RT	D											x	x	O	O						
SLG												O	O	x	x						
UL-S								O	O					x	x						
HCH												xO	x		O						
SÄK												x	x			O	O				
SNH				O				x	x				O								
HDH								O	O					x	x						
GD												x		O	xO						
STO	E								O			O	x					x			
BH				O	O			x	x												
GP												O	O	x	x						
MÜL										O			O							x	x
SIG												x	x	O					O		
MA-L		O										x	x				O				
NEU									xO	xO											
WT												x	x			O	O				
RV												O	O	x	x						
KN												O		x	x				O		
RW								x	x					O	o						
EM		O							O			x	x								
MGH									O	x	x	O									
NT									O			x	x	O							
ÖHR								x	xO	O											
SHA										x	x			O	O						
HOR										O		x	xO								
MOS												O	O	x	x						
DS												x	x	O	O						
BCH									O			O		x	x						
HN-S														xO	xO						
RA										O	O			x	x						
CR				O								x	O		x						
BK									x			x	O	O							
MÜN												xO	xO								
EHI				x	O							O	x								
BAD		x										O	O				x				

Fußnoten zu Tabelle 21:

a) Zu den Symbolen vgl. Tabelle 4.
b) Vgl. Jb.-Gliederung S. 26 f.
c) Wachstumsgruppe:

A stark überdurchschnittlich	$9{,}2\,\% \leq \varnothing\, w$
B schwach überdurchschnittlich	$8{,}4\,\% \leq \varnothing\, w < 9{,}2\,\%$
C durchschnittlich	$7{,}6\,\% \leq \varnothing\, w < 8{,}4\,\%$
D schwach unterdurchschnittlich	$6{,}8\,\% \leq \varnothing\, w < 7{,}6\,\%$
E stark unterdurchschnittlich	$\varnothing\, w < 6{,}8\,\%$

d) Autokennzeichen der Stadt- und Landkreise.

e) x Die nach der Beschäftigtenzahl vorherrschende größte Industriegruppe.
   O Die nach der Beschäftigtenzahl vorherrschende zweitgrößte Industriegruppe.

Quellen: Eigenberechnungen des IAW aus Nr. 13 des Verzeichnisses der statistischen Quellen.

Von der durchschnittlichen Wachstumsgruppe C aus, die Wachstumsraten des Industrieumsatzes je Beschäftigten von 7,6 % bis 8,4 % umfaßt, haben wir Klassen des schwach überdurchschnittlichen, stark überdurchschnittlichen und parallel dazu des schwach unterdurchschnittlichen sowie des stark unterdurchschnittlichen technischen Fortschritts gebildet. In dieses Klassifikationsschema ordneten wir horizontal die zehn Industriegruppen, vertikal die 72 Stadt- und Landkreise ein. Die nach der Beschäftigtenzahl vorherrschende größte Industriegruppe wurde mit einem Kreuz (x), die nach der Beschäftigtenzahl zweitgrößte Industriegruppe mit einer Null (o) bezeichnet.

Könnte nun der Zusammenhang zwischen dem regionalen und dem sektoralen technischen Fortschritt der Industrie über die Beschäftigtenzahlen unmittelbar ausgedrückt werden, so müßten in der Tabelle 21 die Kreuze und Nullen im großen und ganzen um die Hauptdiagonale von links oben nach rechts unten streuen. Nur bei gutwilliger Interpretation läßt die Tabelle 21 die Vermutung zu, daß in der Tat ein ganz lockerer Zusammenhang zwischen den sektoral auf Landesebene gemessenen Fortschrittsraten und den regionalen Steigerungsraten der Arbeitsproduktivität in der Industrie besteht.

Das Ergebnis unserer Verknüpfungsversuche der regionalen mit den sektoralen Arbeitsproduktivitäten bzw. deren Veränderungsraten kann - soweit es unser Thema betrifft - in folgenden Punkten zusammengefaßt werden:

1. Das Material erlaubt keine analytisch exakte Verknüpfung.
2. Die These, technischer Fortschritt sei regional nicht gebunden [1], erfährt für Baden-Württemberg keine Bestätigung. Sie kann also nicht zur Überbrückung von Materialmängeln dienen.

---

1) H. Gerfin, Gesamtwirtschaftliches Wachstum und regionale Entwicklung, in: Kyklos, Vol. XVII, 1964, S. 565 - 593, S. 574 f.

3. Die theoretisch bei der Verknüpfung der regionalen mit der sektoralen Arbeitsproduktivität zu beachtenden Unterschiede in Niveau und Struktur können - vor allem im Zeitablauf - für Baden-Württemberg empirisch nicht quantifiziert werden. Gerade ihre Quantifizierung wäre aber für eine korrekte Bestimmung der Abhängigkeit des regionalen technischen Fortschritts von seinen sektoralen Komponenten unabdingbar.

4. Mit dem uns zur Verfügung stehenden statistischen Material ist nicht auszumachen, welcher Teil der regionalen Wachstumsraten der Produktivität dem technischen Fortschritt im eigentlichen Sinne und welcher Teil reinen Struktureffekten zuzuschreiben ist.

Die quantitativen Auswirkungen des technischen Fortschritts auf den Arbeitsmarkt können demnach nur in einem weiteren Zusammenhang diskutiert werden. Strukturwandlungen im Wachstum und technischer Fortschritt sind bei der Untersuchung des Arbeitsmarktes in Baden-Württemberg als verursachende Faktoren analytisch nicht voneinander zu trennen.

4. Die Abhängigkeit der regionalen Arbeitsmarktentwicklung von der regionalen Arbeitsproduktivität

Die Abhängigkeit der regionalen Arbeitsmarktentwicklung von der regionalen Arbeitsproduktivität hat zwei Seiten: eine Mengenseite und eine Preisseite. Die Mengenkomponente des Arbeitsmarktes wird vom technischen Fortschritt unmittelbar durch die Freisetzung beeinflußt.

Vom Arbeitsmarkt aus gesehen ist die Freisetzung dagegen nur eine Einflußgröße, die den mengenmäßigen Ausgleich auf dem Arbeitsmarkt mitbestimmt. Als weitere Mengengrößen kommen von der Angebotsseite Veränderungen der Erwerbsbevölkerung und der Erwerbsquote, von der Nachfrageseite Veränderungen der Produktionsstruktur und der Produktionsmengen hinzu.

Die Preisseite des Arbeitsmarktes ist, wie bei jedem Markt, für den mengenmäßigen Ausgleich zwischen Angebot an und Nachfrage nach Arbeit mit verantwortlich. Ob nun der mengenmäßige Ausgleich auf dem regionalen Arbeitsmarkt tatsächlich über den Lohnsatz erfolgt, muß empirisch getestet werden. Einen theoretischen Ansatz hierfür bietet L. H. Klaassen [1]. Er geht davon aus, daß sich inner- und interregionale Ungleichgewichte auf dem Arbeitsmarkt über Lohnsatzunterschiede ausgleichen, die Standortverlagerungen und Arbeitskräftewanderungen induzieren.

Für die einzelnen Stadt- und Landkreise Baden-Württembergs läßt sich der Ansatz von Klaassen nicht überprüfen. Für Baden-Württemberg insgesamt stehen Wanderungssalden und Salden der Bruttowochenverdienste der Industriearbeiter zur Verfügung. Sie zeigen zwischen 1962 und 1967 trotz eines niedrigeren Verdienstniveaus Zuwanderungssalden gegenüber Schleswig-Holstein,

1) L. H. Klaassen, Area Economic and Social Redevelopment, Developing Job Opportunities, Nr. 1, OECD Paris 1965, S. 43 ff.

Niedersachsen, Nordrhein-Westfalen, Bayern, dem Saarland, Hamburg und Bremen. Dieser Befund widerspricht dem Erklärungsversuch von Klaassen für den Ausgleich des Arbeitsmarktes [1]. Wanderungssalden und Verdienstunterschiede müßten gleichgerichtet sein. Lediglich für die Wanderungssalden zwischen Baden-Württemberg und Hessen, zeitweise auch für die Salden zwischen Baden-Württemberg und Rheinland-Pfalz gilt Klaassens Hypothese.

Von D. Schröder u.a. wurde der an sich plausible Versuch unternommen, das Klaassen-Modell durch die Einfügung von Wohnort- und Standortfaktoren zu retten [2]. Diese Faktoren sind jedoch nicht meßbar. Somit wird bei dem Verfahren von D. Schröder die Frage des Ausgleichs auf dem Arbeitsmarkt im Grunde genommen in qualitative Bereiche verlagert.

Wir sehen keinen Anlaß dafür, dem Lohnsatz eine Ausgleichsfunktion bei inner- und interregionalen Ungleichgewichten auf dem Arbeitsmarkt zuzubilligen. Hinzu kommt, daß bei unserem Konzept der Messung des technischen Fortschritts als quasi-technische Beziehung die Betrachtung von vornherein auf Mengenrelationen abgestellt ist. Wir werden im folgenden bei der Verknüpfung des regionalen technischen Fortschritts mit dem Arbeitsmarkt in den Stadt- und Landkreisen Baden-Württembergs nur die quantitative Seite des Arbeitsmarktes betrachten.

Die bekannteste und wichtigste Kennziffer für den Arbeitsmarkt wird gemeinhin in den Arbeitslosenquoten gesehen. In Tabelle 22 sind für die Stadt- und Landkreise Baden-Württembergs in einer Zeitreihe von 1956 bis 1967 die Arbeitslosen je hundert unselbständig Beschäftigten ausgewiesen. Auf ihre Interpretation können wir hier verzichten, da sie lediglich in erster Annäherung die Lage auf den regionalen Arbeitsmärkten charakterisieren.

1) Vgl. hierzu auch D. Schröder, Strukturwandel, Standortwahl ..., a.a.O., S. 68.
2) D. Schröder, Strukturwandel, Standortwahl ..., a.a.O., S. 69.

Tabelle 22

Arbeitslosenquoten der Stadt- und Landkreise Baden-Württembergs 1956-1967 in %

- Arbeitslose je 100 unselbständig Beschäftigte -

1. Regierungsbezirk Nordwürttemberg

Kreise[a)]	Jahre											
	1956	1957	1958	1959	1960	1961	1962	1963	1964	1965	1966	1967
S	0,65	0,61	0,52	0,34	0,26	0,23	0,12	0,13	0,13	0,10	0,08	0,27
HN-S	b)	b)	b)	b)	b)	b)	b)	b)	b)	b)	b)	b)
UL-S	b)	b)	b)	b)	b)	b)	b)	b)	b)	b)	b)	b)
AA	2,22	1,90	2,70	1,48	0,39	0,15	0,12	0,20	0,16	0,16	0,23	1,10
BK	1,66	1,23	1,37	0,71	0,18	0,10	0,12	0,24	0,10	0,14	0,21	0,73
BB	0,80	0,75	0,76	0,40	0,21	0,21	0,08	0,08	0,07	0,08	0,13	0,51
CR	4,55	3,83	4,37	2,52	1,35	0,53	0,43	0,63	0,41	0,45	0,61	2,35
ES	0,75	0,69	0,55	0,30	0,15	0,15	0,05	0,06	0,04	0,03	0,05	0,36
GP	0,84	0,85	0,97	0,46	0,11	0,10	0,08	0,14	0,09	0,06	0,09	0,62
HDH	1,47	1,26	1,75	1,06	1,13	0,07	0,08	0,12	0,12	0,13	0,22	0,88
HN-L	2,40	2,11	1,55	0,63	0,13	0,09	0,02	0,08	0,07	0,06	0,16	0,76
KÜN	1,48	0,93	1,29	0,81	0,25	0,16	0,11	0,15	0,11	0,07	0,13	0,60
LEO	0,62	0,58	0,61	0,29	0,14	0,12	0,04	0,05	0,04	0,04	0,07	0,28
LB	0,90	0,75	0,65	0,25	0,12	0,04	0,03	0,06	0,05	0,04	0,09	0,36
MGH	2,57	2,47	2,73	1,78	0,81	0,57	0,49	0,65	0,38	0,55	0,63	1,40
NT	0,73	0,76	0,94	0,46	0,14	0,12	0,05	0,08	0,04	0,02	0,06	0,41
ÖHR	2,19	2,01	2,40	1,36	0,39	0,16	0,15	0,22	0,19	0,18	0,23	0,90
GD	1,00	0,95	1,10	0,58	0,15	0,06	0,06	0,11	0,05	0,06	0,10	0,46
SHA	2,27	2,11	2,59	1,28	0,61	0,30	0,27	0,34	0,19	0,22	0,25	1,32
UL-L	3,08	3,05	3,18	1,21	0,22	0,10	0,10	0,14	0,10	0,09	0,14	0,72
VAI	0,78	0,71	0,94	0,34	0,12	0,06	0,04	0,09	0,06	0,05	0,08	0,41
WN	0,65	0,65	0,65	0,33	0,15	0,10	0,08	0,08	0,07	0,08	0,12	0,38

2. Regierungsbezirk Nordbaden

KA-S	b)	b)	b)	b)	b)	b)	b)	b)	b)	b)	b)	b)
HD-S	b)	b)	b)	b)	b)	b)	b)	b)	b)	b)	b)	b)
MA-S	2,37	2,26	1,88	1,02	0,42	0,27	0,18	0,19	0,23	0,23	0,32	1,20
PF-S	b)	b)	b)	b)	b)	b)	b)	b)	b)	b)	b)	b)
BR	2,29	2,41	2,55	1,28	0,31	0,16	0,09	0,37	0,19	0,12	0,27	1,43
BCH	4,82	4,20	3,97	2,08	0,56	0,28	0,21	0,48	0,37	0,32	0,48	1,19
HD-L	2,83	2,85	2,57	1,29	0,41	0,22	0,11	0,18	0,14	0,12	0,19	0,77
KA-L	2,33	2,38	2,54	1,17	0,43	0,29	0,19	0,15	0,17	0,15	0,22	0,83
MA-L	2,14	2,32	2,06	1,07	0,36	0,19	0,15	0,19	0,22	0,20	0,34	1,09
MOS	4,61	4,85	5,07	2,42	0,43	0,17	0,13	0,37	0,18	0,25	0,32	1,22
PF-L	1,10	1,12	1,14	0,61	0,29	0,25	0,19	0,31	0,21	0,17	0,19	0,71
SNH	3,89	4,01	4,49	2,11	0,51	0,22	0,06	0,19	0,13	0,08	0,24	1,77
TBB	3,66	3,64	4,16	2,25	0,74	0,44	0,33	0,84	0,49	0,55	0,80	2,08

Fortsetzung der Tabelle 22

3. Regierungsbezirk Südbaden

Kreise[a]	Jahre											
	1956	1957	1958	1959	1960	1961	1962	1963	1964	1965	1966	1967
FR-S	b)	b)	b)	b)	b)	b)	b)	b)	b)	b)	b)	b)
BAD	2,19	1,96	2,58	1,75	0,55	0,27	0,27	0,44	0,30	0,34	0,31	0,62
BH	3,35	3,01	3,52	1,98	0,46	0,27	0,25	0,73	0,44	0,43	0,43	1,26
DS	1,66	1,64	1,85	1,30	0,23	0,12	0,11	0,21	0,06	0,11	0,15	0,85
EM	2,58	1,90	1,80	0,81	0,20	0,08	0,12	0,20	0,07	0,09	0,12	0,62
FR-L	2,29	1,93	1,98	1,02	0,33	0,13	0,13	0,21	0,09	0,15	0,15	0,43
NEU	3,96	3,20	4,20	2,50	0,71	0,37	0,64	0,75	0,23	0,60	0,45	1,00
KEL	3,38	2,67	3,39	1,74	0,38	0,14	0,12	0,15	0,11	0,10	0,19	0,89
KN	1,12	0,93	1,19	0,68	0,31	0,27	0,19	0,18	0,22	0,21	0,19	0,75
LR	3,46	2,60	2,22	1,06	0,20	0,08	0,09	0,18	0,08	0,09	0,12	1,50
LÖ	0,99	0,81	0,94	0,58	0,28	0,17	0,14	0,21	0,15	0,21	0,28	0,66
MÜL	2,36	1,93	1,88	1,15	0,50	0,27	0,30	0,46	0,29	0,34	0,36	0,75
OG	2,75	2,30	2,26	1,17	0,38	0,22	0,15	0,33	0,17	0,19	0,24	0,73
RA	3,38	3,19	3,47	1,67	0,78	0,63	0,27	0,38	0,44	0,41	0,50	1,62
SÄK	1,35	1,19	1,86	1,39	0,43	0,27	0,15	0,26	0,14	0,24	0,28	0,49
STO	2,05	1,83	2,13	1,28	0,38	0,19	0,12	0,26	0,14	0,13	0,24	0,74
ÜB	2,10	1,94	2,29	1,24	0,36	0,21	0,21	0,28	0,22	0,21	0,26	0,89
VL	0,71	0,95	1,30	0,85	0,16	0,14	0,19	0,20	0,12	0,14	0,18	0,57
WT	1,35	1,30	2,31	1,83	0,53	0,39	0,23	0,39	0,25	0,31	0,41	0,89
WOL	1,59	1,50	2,08	1,10	0,58	0,28	0,57	0,88	0,53	0,48	0,55	1,41

4. Regierungsbezirk Südwürttemberg-Hohenzollern

BL	1,18	1,14	1,54	1,01	0,15	0,07	0,05	0,10	0,06	0,08	0,11	0,45
BC	2,12	2,20	2,49	1,30	0,24	0,11	0,14	0,28	0,14	0,16	0,20	1,12
CW	1,03	1,26	1,85	0,96	0,41	0,36	0,49	0,66	0,44	0,43	0,53	1,26
EHI	2,13	1,94	2,11	1,59	0,37	0,17	0,03	0,04	0,03	0,16	0,16	0,98
FDS	2,45	2,62	3,83	2,39	1,03	0,78	1,17	1,41	0,83	0,85	0,74	1,48
HCH	2,25	1,92	2,69	1,68	0,26	0,10	0,07	0,27	0,13	0,15	0,18	0,90
HOR	2,34	2,21	2,72	1,55	0,24	0,17	0,18	0,36	0,21	0,22	0,23	1,43
MÜN	1,50	1,44	2,20	1,39	0,17	0,10	0,15	0,29	0,15	0,19	0,20	0,91
RV	1,39	1,45	1,69	0,89	0,30	0,13	0,07	0,09	0,08	0,15	0,22	0,65
RT	1,01	0,75	1,00	0,63	0,09	0,09	0,09	0,12	0,09	0,09	0,17	0,49
RW	1,65	1,47	1,58	0,96	0,24	0,11	0,13	0,24	0,12	0,10	0,19	0,75
SLG	2,13	2,00	2,38	1,78	0,46	0,12	0,12	0,29	0,20	0,23	0,35	1,22
SIG	2,00	2,00	2,19	1,48	0,27	0,09	0,08	0,31	0,15	0,15	0,16	0,92
TT	1,20	1,20	1,48	0,75	0,24	0,12	0,09	0,11	0,09	0,06	0,12	0,99
TÜ	0,96	0,77	0,99	0,61	0,06	0,07	0,06	0,09	0,06	0,07	0,15	0,43
TUT	1,36	1,17	1,24	0,98	0,30	0,16	0,06	0,12	0,07	0,08	0,14	0,75
WG	2,61	2,31	3,16	1,96	0,66	0,21	0,16	0,24	0,13	0,23	0,24	1,01

a) Autokennzeichen der Stadt- und Landkreise.
b) In den entsprechenden Landkreisen enthalten.

Quellen: Eigenberechnungen des IAW aus Nr. 17 des Verzeichnisses der statistischen Quellen.

Eine genauere Kennzeichnung der Situation auf dem Arbeitsmarkt erfordert, daß die Zahl der offenen Stellen und die Anzahl der täglichen Pendler zwischen den Kreisen in die Berechnung eingehen. Deshalb haben wir zwei Anspannungskoeffizienten ermittelt (vgl. Spalten (5) bis (8) der Tabelle 23). Der Anspannungskoeffizient I ist definiert als die Zahl der Arbeitslosen je offene Stelle, der Anspannungskoeffizient II enthält darüberhinaus den Auspendlerüberschuß eines Kreises im Zähler bzw. den Einpendlerüberschuß im Nenner. Dahinter steht die Überlegung, daß ein Auspendlerüberschuß eine latent vorhandene regionale Arbeitslosigkeit, ein Einpendlerüberschuß eine latent vorhandene Zahl offener Stellen kennzeichnet. Der Anspannungskoeffizient I spiegelt die tatsächliche, der Anspannungskoeffizient II eine eher potentielle Kennziffer für den Nachfrageüberhang auf dem regionalen Arbeitsmarkt wider. Ein Anspannungskoeffizient mit dem Wert Eins besagt, daß die Zahl der offenen Stellen gleich der Zahl der Arbeitslosen ist. Bei Werten über Eins herrscht ein Überhang an Arbeitslosen, bei Werten unter Eins ein Überhang an offenen Stellen.

Generell ist festzustellen, daß im Jahre 1966 in allen Stadt- und Landkreisen Baden-Württembergs die Zahl der offenen Stellen größer war als die Anzahl der Arbeitslosen; alle Werte des Anspannungskoeffizient I lagen unter 1. Der größte Überhang an offenen Stellen zeigte sich in den Koeffizienten von 0,02 in Stuttgart und Esslingen, von 0,03 in Künzelsau, Leonberg, Nürtingen, Schwäbisch Gmünd, Vaihingen und Balingen. Der geringste Überhang an offenen Stellen lag mit einem Wert von 0,18 in Rastatt, Tauberbischofsheim und Mannheim-Land, mit 0,19 in Freudenstadt, mit 0,23 in Crailsheim und mit 0,25 in Waldshut und Wolfach vor.

Der Anspannungskoeffizient II schwankte im Jahre 1966 regional zwischen 0,00 in Stuttgart und 21,65 in Leonberg. Bei zwölf der vorher genannten Stadt- und Landkreise (Esslingen, Leonberg, Nürtingen, Schwäbisch Gmünd, Vaihingen sowie Rastatt, Tauberbischofsheim, Mannheim-Land, Crailsheim, Waldshut, Wolfach und Freudenstadt)ist der Anspannungskoeffizient II grös-

Tabelle 23

Verknüpfung des regionalen technischen Fortschritts mit dem Arbeitsmarkt in den Stadt- und Landkreisen Baden-Württembergs 1958 - 1966

1. Regierungsbezirk Nordwürttemberg

Kreise a)	Durchschnittl. jährliche Wachstumsrate in %				Anspannungskoeffizient			
	Techn. Fortschritt b)	Arbeitslosenquote c)	Anspannungskoeffizient		I		II	
			I d)	II e)	1957	1966	1957	1966
(o)	(1)	(2)	(3)	(4)	(5)	(6)	(7)	(8)
S	9,3	-9,7	-10,3	-9,8	0,25	0,02	0,02	0,00
AA	7,3	-9,8	-10,3	-9,5	1,49	0,10	2,56	0,38
BK	6,5	-9,2	-10,1	-5,2	1,00	0,09	16,22	8,70
BB	10,7	-9,2	-10,3	-9,1	0,54	0,04	4,30	0,77
CR	7,0	-9,3	- 9,9	-5,6	2,16	0,23	4,95	2,44
ES	7,2	-10,6	-10,6	-4,2	0,39	0,02	8,99	5,59
GP	7,1	-9,9	-10,3	-4,3	0,50	0,04	1,64	1,01
HDH	5,0	-9,2	-10,4	-9,5	1,10	0,07	0,27	0,04
HN-S+L	6,9	-10,3	-10,7	-10,7	1,73	0,06	0,65	0,02
KÜN	8,7	-9,6	-10,4	-10,0	0,44	0,03	0,10	0,01
LEO	8,7	-9,8	-10,4	-5,7	0,49	0,03	44,19	21,65
LB	7,7	-9,8	-10,2	-1,9	0,52	0,04	10,44	8,64
MGH	7,7	-8,3	-9,9	-9,7	1,06	0,12	0,28	0,04
NT	6,6	-10,2	-10,6	-4,9	0,69	0,03	12,82	7,20
ÖHR	6,9	-9,8	-10,5	-4,9	1,67	0,09	13,42	7,53
GD	8,6	-9,9	-10,4	-7,2	0,49	0,03	2,62	0,93
SHA	7,5	-9,8	-10,1	-7,0	1,24	0,11	3,59	1,33
UL-S+L	7,5	-10,6	-10,9	-10,8	2,98	0,05	0,27	0,01
VAI	7,6	-9,9	-10,5	-6,2	0,55	0,03	14,86	6,58
WN	8,1	-9,1	-10,0	-5,4	0,38	0,04	15,39	7,89

2. Regierungsbezirk Nordbaden

MA-S	6,5	-9,5	-10,5	-9,4	1,75	0,10	0,05	0,01
BR	7,3	-9,9	-10,3	-9,1	3,61	0,09	37,80	6,97
BCH	8,3	-9,8	-10,5	-7,0	2,36	0,13	8,65	3,17
HD-S+L	9,0	-10,4	-10,9	-10,2	3,04	0,06	8,05	0,64
KA-S+L	9,1	-10,1	-10,8	-10,3	3,45	0,09	0,25	0,02
MA-L	7,3	-9,5	-10,5	-7,5	3,34	0,18	47,02	15,27
MOS	8,3	-10,4	-10,9	-8,9	4,22	0,09	20,27	4,02
PF-S+L	7,7	-9,2	-10,1	-9,0	0,49	0,04	0,05	0,01
SNH	8,7	-10,4	-10,9	-8,3	6,32	0,11	56,19	14,12
TBB	9,0	-8,7	-10,4	-8,2	2,72	0,18	9,50	2,49

Fortsetzung der Tabelle 23

3. Regierungsbezirk Südbaden

Kreise a)	Durchschnittl. jährl. Wachstumsrate in %				Anspannungskoeffizient			
	Techn. Fortschritt b)	Arbeitslosenquote c)	Anspannungskoeffizient I d)	Anspannungskoeffizient II e)	I 1957	I 1966	II 1957	II 1966
(o)	(1)	(2)	(3)	(4)	(5)	(6)	(7)	(8)
BAD	3,8	- 9,4	-10,1	- 9,8	1,02	0,10	0,08	0,01
BH	7,2	- 9,5	-10,3	- 5,3	2,03	0,14	11,03	5,75
DS	9,1	-10,1	-10,4	- 6,1	1,02	0,07	11,34	5,12
EM	7,6	-10,4	-10,8	- 3,7	1,92	0,06	16,16	10,71
FR-S+L	8,8	-10,2	-10,7	-10,6	1,40	0,05	0,26	0,01
NEU	7,9	- 9,5	-10,2	- 8,7	1,32	0,10	2,83	0,63
KEL	9,3	-10,3	-10,8	- 8,3	2,45	0,07	22,01	5,59
KN	6,5	- 8,8	- 9,5	- 8,7	0,57	0,08	2,37	0,51
LR	9,9	-10,6	-10,8	- 4,7	3,08	0,07	12,79	7,33
LÖ	7,7	- 7,3	- 8,2	- 6,7	0,55	0,14	9,56	3,78
MÜL	8,6	- 9,0	- 9,9	- 4,5	1,32	0,15	11,73	7,01
OG	8,9	-10,0	-10,7	-10,4	2,09	0,07	0,27	0,02
RA	7,7	- 9,4	-10,4	- 6,6	2,87	0,18	11,51	4,69
SÄK	7,2	- 8,5	- 9,0	- 7,1	0,71	0,14	8,09	2,90
STO	6,3	- 9,7	-10,2	- 4,9	1,15	0,10	13,58	7,62
ÜB	7,8	- 9,6	-10,7	- 9,3	2,32	0,09	17,37	2,88
VL	6,9	- 9,0	- 9,9	- 8,3	0,51	0,06	9,12	0,03
WT	5,8	- 7,6	- 8,0	- 5,8	0,91	0,25	18,68	8,94
WOL	8,2	- 7,0	- 8,8	- 5,2	1,21	0,25	5,99	3,17

4. Regierungsbezirk Südwürttemberg-Hohenzollern

BL	8,1	-10,0	-10,7	-10,1	0,82	0,03	0,13	0,01
BC	9,3	-10,1	-10,5	- 8,8	1,76	0,10	5,41	1,14
CW	7,5	- 6,4	- 8,1	- 3,8	0,63	0,17	10,43	6,90
EHI	6,2	-10,2	-10,5	- 2,3	1,74	0,10	13,67	10,87
FDS	7,7	- 8,0	- 9,4	- 4,3	1,21	0,19	0,70	0,43
HCH	8,7	-10,1	-10,6	- 6,2	1,46	0,07	15,26	6,70
HOR	7,7	-10,0	-10,6	- 7,4	2,03	0,09	27,61	8,14
MÜN	7,6	- 9,6	-10,3	- 6,2	1,00	0,08	17,29	7,56
RV	7,5	- 9,4	-10,6	-10,1	1,58	0,08	1,71	0,16
RT	7,7	- 8,6	- 9,6	- 8,9	0,44	0,06	0,10	0,02
RW	7,9	- 9,7	-10,7	-10,4	1,30	0,05	0,33	0,02
SLG	8,2	- 9,2	- 9,7	- 9,5	1,19	0,15	3,13	0,47
SIG	5,9	-10,2	-10,6	- 7,7	1,27	0,05	7,84	2,44
TT	7,9	-10,0	-10,6	-10,3	0,84	0,04	0,20	0,02
TÜ	7,7	- 8,9	-11,0	- 6,8	0,37	0,04	3,43	1,33
TUT	8,2	- 9,8	-10,3	- 9,2	0,71	0,05	0,26	0,04
WG	7,9	-10,0	-10,5	-10,6	1,49	0,09	1,84	0,08

a) Autokennzeichen der Stadt- und Landkreise.
b) Ø wP(Y/A).
c) Wachstumsrate der Arbeitslosen je 100 unselbst. Besch.
d) Wachstumsrate der Arbeitslosen je offene Stelle.

e) Ø w $\frac{\text{Arbeitslose + Auspendlerüberschuß (ggfs.)}}{\text{Offene Stellen + Einpendlerüberschuß (ggfs.)}}$

Quellen: Eigenberechnungen des IAW aus Nr. 1, Nr. 5, Nr. 9, Nr. 17, Nr. 20 und Nr. 22 des Verzeichnisses der statistischen Quellen.

ser als der Anspannungskoeffizient I. In den Kreisen Stuttgart, Künzelsau und Balingen dagegen übersteigt der Anspannungskoeffizient I den Anspannungskoeffizienten II. In dem höheren Wert des Anspannungskoeffizienten II kommt zum Ausdruck, daß ein mehr oder weniger großer Teil des Arbeitspotentials in benachbarten Kreisen beschäftigt ist. In den Kreisen mit Einpendlerüberschuß ist der Anspannungskoeffizient II niedriger als der Anspannungskoeffizient I.

Die zeitliche Veränderung der Anspannung auf dem Arbeitsmarkt zwischen den Jahren 1958 und 1966 ist aus den Spalten (3) und (4) der Tabelle 23 zu ersehen. Alle Wachstumsraten der beiden Anspannungskoeffizienten sind negativ. Der Arbeitsmarkt ist also vom Arbeitsangebot her in allen Stadt- und Landkreisen Baden-Württembergs zusehends enger geworden.

Mit den Veränderungsraten der Anspannungskoeffizienten und der Arbeitslosenquote versuchen wir nun, den Zusammenhang zwischen dem regionalen technischen Fortschritt und dem Arbeitsmarkt herzustellen (vgl. Spalten (1) bis (4) der Tabelle 23).

Von unserem Untersuchungsziel aus ist ein derartiger Verknüpfungsversuch mit Mängeln behaftet. Vom regionalen Arbeitsmarkt wirken neben den Freisetzungseffekten Mengenkomponenten mit, welche die Auswirkungen des technischen Fortschritts verwischen. Beim regionalen technischen Fortschritt lassen sich, wie erwähnt, die Strukturkomponenten nicht vom eigentlichen technischen Fortschritt isolieren.

Die genannten Mängel führen dazu, daß ein in der Wirklichkeit zu vermutender straffer Zusammenhang zwischen dem regionalen technischen Fortschritt und dem Arbeitsmarkt bei der so vorgenommenen Messung gelockert wird.

Berechnungen über den Zusammenhang zwischen regionalem technischen Fortschritt und Veränderungen der regionalen Arbeitslosenquote (Spalten (1) und (2) der Tabelle 23) ergaben einen Korrelationskoeffizienten von $r_S = 0{,}77$. Dieser Koeffizient ist durch einen Test gesichert. Regionaler technischer Fortschritt geht also mit einer laufenden Senkung der Arbeitslosenquote einher.

Der Zusammenhang zwischen dem regionalen technischen Fortschritt und der Veränderung der beiden regionalen Anspannungskoeffizienten kommt in ebenfalls gesicherten Korrelationskoeffizienten von 0,73 bzw. 0,76 zum Ausdruck. Der regionale technische Fortschritt wird also im Beobachtungszeitraum von einer immer stärker werdenden Anspannung auf dem Arbeitsmarkt begleitet.

Eigentlich wäre zu erwarten, daß sich bei zunehmendem technischen Fortschritt die Lage auf dem Arbeitsmarkt entspannt. Die fortschrittsbedingte Entspannung des Arbeitsmarktes ist jedoch nur dann zu erkennen, wenn keine kompensierenden Gegenkräfte auf den Arbeitsmarkt einwirken. Die von uns quantifizierten Zusammenhänge lassen den eindeutigen Schluß zu, daß im Untersuchungszeitraum in allen Stadt- und Landkreisen Baden-Württembergs die Gegenkräfte den technischen Fortschritt überkompensierten.

Gehen wir abschließend noch einem Mengeneinfluß auf den Arbeitsmarkt nach, der gemeinhin für den Arbeitsmarkt als ausgleichendes Element im Wachstumszyklus angesprochen wird: den Gastarbeitern [1]. In Abbildung 10 sind für die Gesamtwirtschaft des Landes Baden-Württemberg, für die Land- und Forstwirtschaft, das Warenproduzierende Gewerbe und den Dienstleistungsbereich die Wachstumsraten des Bruttoinlandsprodukts mit den Wachstumsraten der Gastarbeiter für die Jahre 1961 bis 1967 miteinander in Beziehung gesetzt.

Bestünde die Hypothese eines Anpassungsprozesses ohne zeitliche Verzögerungen zu recht, so müßten die eingezeichneten

1) Vgl. Fußnote 3) auf S. 31.

Abbildung 10:

Konjunktur und Gastarbeiter in der Gesamtwirtschaft, der Land- und Forstwirtschaft, dem Warenproduzierenden Gewerbe und dem Dienstleistungsbereich Baden-Württembergs 1961 - 1967

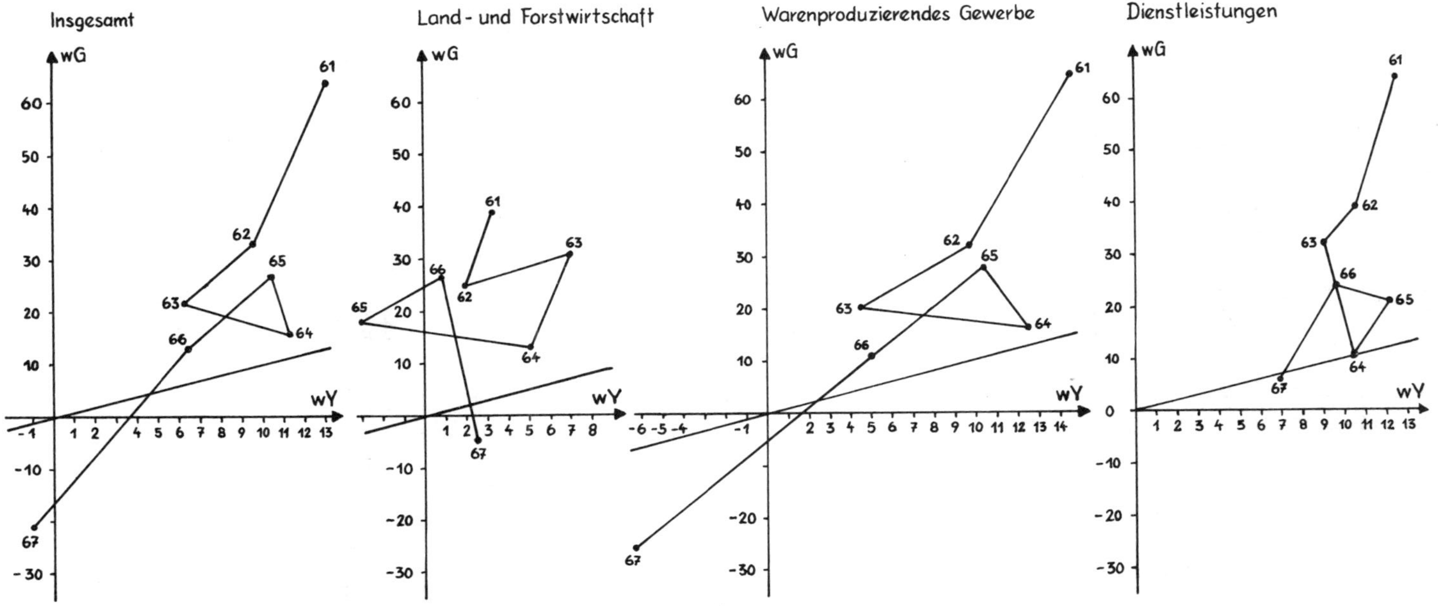

wG = jährliche Wachstumsrate der Gastarbeiter in %.

wY = jährliche Wachstumsrate des Bruttoinlandsprodukts in jeweiligen Preisen in %.

Quelle: Eigenberechnungen des IAW aus Nr. 4 und Nr. 17 des Verzeichnisses der statistischen Quellen.

Streckenzüge parallel zur Winkelhalbierenden verlaufen [1]. Die augenfälligen Schleifen in allen vier Kurvenzügen besagen, daß die Hypothese keinesfalls generell zutrifft. Klammern wir die vom Gewicht her unbedeutende Land- und Forstwirtschaft mit ihren Sonderbewegungen aus, so ist eine parallele Entwicklung zwischen der Gesamtwirtschaft des Landes und dem Warenproduzierenden Gewerbe zu beobachten. Mit Einschränkungen gilt dies auch für den Dienstleistungsbereich. Zwar ist insgesamt eine dem Wachstumszyklus folgende Bewegung der Gastarbeiter zu erkennen. Die eindeutig verzögerte Reaktion der Gastarbeiter auf Konjunkturumschwünge läßt jedoch die Vermutung zu, daß die Gastarbeiter den Ausgleich auf dem Arbeitsmarkt nur mit einer zeitlichen Verzögerung von etwa einem Jahr bewirken. Gerade die zeitliche Verzögerung der Gastarbeiterströme weist ihnen im Konjunkturumschwung eine den Zusammenhang zwischen technischem Fortschritt und Arbeitsmarkt verzerrende Wirkung zu.

Das Untersuchungsergebnis über die Abhängigkeit der regionalen Arbeitsmarktentwicklung vom regionalen technischen Fortschritt kann man in drei Punkten zusammenfassen:

1. Zwischen 1958 und 1966 geht der technische Fortschritt mit einer zunehmenden Anspannung des Arbeitsmarktes einher.
2. Die durch den technischen Fortschritt verursachte Freisetzung wurde in der Vergangenheit von anderen Einflüssen überkompensiert. Die wichtigste Gegenkraft zur Freisetzung ist im Wachstum der Produktionsmenge zu sehen.

---

1) Die in Abbildung 10 eingezeichneten Winkelhalbierenden entsprechen deshalb nicht der 45-Grad-Linie, weil Abszissen und Ordinaten unterschiedlich graduiert sind.

3. Neben der systematischen Überkompensation der Freisetzung erschweren unsystematische Verzerrungen die Analyse. Die Gastarbeiter z.B. stellen grundsätzlich ein Regulativ für Ungleichgewichte auf dem Arbeitsmarkt dar. Die verzögerte Reaktion im Konjunkturumschwung führt,je nach der Ausgangslage,zu einer überhöhten oder verminderten Freisetzung.

V. Projektionen der Freisetzung bis 1975

1. Die Grundlagen der Projektionen

Projektionen für regionale Teilräume haben der Tatsache Rechnung zu tragen, daß einerseits die wirtschaftliche Entwicklung dieser Gebiete nicht losgelöst vom Gesamtraum gesehen werden darf, daß aber andererseits regionalspezifische Faktoren die wirtschaftliche Zukunft einer Region ebenfalls bestimmen [1]. Die Gesamtraum- und Teilraumfaktoren sind je nach der Fragestellung für die Teilraum-Projektionen unterschiedlich zu gewichten.

Bei unserer für das Jahr 1975 zu projizierenden Freisetzung von Arbeitskräften durch technischen Fortschritt haben wir von der Entwicklung der Produktivität und der Erwerbsbevölkerung auszugehen [2]. Für das anzuwendende Projektionsverfahren ist nun zu prüfen, ob die Entwicklungen der Erwerbsbevölkerung und der Arbeitsproduktivität in den Stadt- und Landkreisen Baden-Württembergs primär gesamträumlichen Einflüssen unterliegen oder ob sie in erster Linie regionalspezifischen Entwicklungen folgen. Je nach dem Gewicht der beiden Einflußgrößen müssen sich Gesamtraum- und Teilraumprojektion für jeden Stadt- und Landkreis ergänzen.

Beide Verfahren galt es bei unserer Projektion der Erwerbspersonen in den Stadt- und Landkreisen Baden-Württembergs für das Jahr 1975 miteinander zu kombinieren. Das Statistische Landesamt Baden-Württemberg prognostizierte die natürliche Bevölkerungsentwicklung, d.h. also das Gesamtbevölkerungswachstum ohne Berücksichtigung der Wanderungen, sowie die Erwerbsquoten nur für das Land [3]. Die Wanderungskomponente wurde

1) Vgl. D. Schröder, Strukturwandel, Standortwahl ..., a.a.O., S. 31 ff.
2) Vgl. S. 30 f.
3) Vgl. hierzu K. Schwarz, Probleme regionaler Bevölkerungsvorausschätzungen, Referat auf der Sitzung des Ausschusses Regionalstatistik der Deutschen Statistischen Gesellschaft am 5. Oktober 1966 in Hamburg.

von uns aufgrund der Entwicklung zwischen den Jahren 1962 und 1967 geschätzt. Mithilfe eigener bis zum Jahre 1975 fortgeschriebener Bevölkerungsanteile und der korrigierten Kreis-Erwerbsquoten zum 6.6.1961 berechneten wir die Zahl der Erwerbspersonen in den Stadt- und Landkreisen für das Jahr 1975.

Die Gesamtraumprojektion der Arbeitsproduktivität bzw. des technischen Fortschritts kann nur bei einer hinreichend homogenen Sektorengliederung und gleichzeitiger Kenntnis künftiger Strukturwandlungen als Grundlage von Teilraumprojektionen dienen. Beide Voraussetzungen sind nicht erfüllt. Es erscheint uns deshalb wesentlich sinnvoller, von vornherein an die regionale Arbeitsproduktivität anzuknüpfen. Sie enthält zwar ebenfalls Struktureffekte, drückt jedoch die regionalspezifischen Unterschiede in den sektoralen Produktivitäten aus. Hinzu kommt, daß regionale Arbeitsproduktivitäten die Verbindung zwischen technischem Fortschritt und Arbeitsmarkt herstellen. Unter den Bedingungen der Formeln (7.1) bis (7.3) ist die verwendete Wachstumsrate des Bruttoinlandsprodukts in jeweiligen Preisen je Kopf der Wohnbevölkerung mit dem technischen Fortschritt identisch.

Bei all unseren Projektionen führten lineare Trendextrapolationen zu eindeutig gesicherten Ergebnissen.

Greifen wir nun auf die im theoretischen Teil erarbeiteten Formeln (4.2) und (5.2) zurück. Die theoretische Freisetzung F_t^* nach der Formel (4.2) kann zum Zwecke unserer Projektionen auch so ausgedrückt werden:

$$F_t^* = \frac{w_{Pt}}{1 + w_{Pt}} A_{t-1} \qquad (10.1)$$

Die theoretische Freisetzung von Arbeitskräften, die ja auf der Annahme eines konstanten Produktionsvolumens Y beruht, ist demnach mithilfe der ursprünglich Beschäftigten

A_{t-1} sowie der projizierten durchschnittlichen jährlichen Fortschrittsrate w_{Pt} zu berechnen.

Die tatsächliche Freisetzung F_t ergibt sich aus Formel (5.2):

$$F_t = \frac{w_{Pt} - w_{Yt}}{1 + w_{Pt}} A_{t-1} \qquad (10.2)$$

Die tatsächliche Freisetzung von Arbeitskräften wird, wie die Formel (10.2) zeigt, zusätzlich durch die durchschnittliche jährliche Wachstumsrate des Bruttoinlandsprodukts w_{Yt} beeinflußt, die bei unserem Ansatz [1] als wirtschaftspolitischer Aktionsparameter anzusehen ist. Welche Rolle w_{Yt} unter dem Freisetzungsaspekt wirtschaftspolitisch spielen kann, wird aus den folgenden Formeln ersichtlich:

$$\text{Arbeitslose } (Al_t) = \text{Freigesetzte } (F_t) + \text{Erwerbspersonenzuwachs } (E_t - E_{t-1}) \qquad (11.1)$$

Die wirtschaftspolitisch maßgebliche Größe für den Arbeitsmarkt, die Zahl der Arbeitslosen, ist demnach bei konstanter Erwerbsbevölkerung mit der tatsächlichen Freisetzung identisch. Bei einem Wachstum der Erwerbspersonen dagegen haben Bestrebungen zum Ausgleich des Arbeitsmarktes zusätzlich noch den Erwerbspersonenzuwachs zu berücksichtigen. Aktionsparameter einer derartigen Ausgleichspolitik ist - unter den von uns im Modell spezifizierten Variablen - die Wachstumsrate des Bruttoinlandsprodukts w_{Yt} (vgl. Formel (11.3)).

---

1) Vgl. S. 30.

Für die Arbeitslosenquote $\frac{Al_t}{E_t}$ im Zeitpunkt t gilt:

$$\frac{Al_t}{E_t} = \frac{w_{Pt} - w_{Yt}}{(1 + w_{Pt})(1 + w_{Et})} \frac{A_{t-1}}{E_{t-1}} + \frac{w_{Et}}{1 + w_{Et}} \qquad (11.2)$$

Die Arbeitslosenquote im Projektionszeitpunkt t hängt also von der Rate des technischen Fortschritts w_{Pt}, der Rate des Produktionswachstums w_{Yt}, der Rate des Erwerbspersonenwachstums w_{Et} sowie dem ursprünglichen Niveau der Beschäftigten A_{t-1} und der Erwerbspersonen E_{t-1} ab.

Machen wir die für Baden-Württemberg realitätsnahe Annahme, im Ausgangszeitpunkt t-1 habe Vollbeschäftigung geherrscht ($A_{t-1} = E_{t-1}$), so kann man die Bedingung für Vollbeschäftigung im Projektionszeitpunkt t nach Formel (11.2) schreiben:

$$w_{Yt} \overset{!}{=} w_{Pt} + w_{Et} + w_{Pt}w_{Et} \qquad (11.3)$$

Nach dieser knappen Darstellung der Grundlagen unserer Projektionen, wollen wir uns nunmehr den mithilfe der angegebenen Formeln geschätzten Projektionen der Freisetzung für das Jahr 1975 zuwenden.

2. Die Freisetzungsprojektionen

Für alle projizierten Daten werden in den Tabellen untere, mittlere und obere Werte angegeben. Diese Zahlen sind so zu interpretieren: Unter den einschränkenden Bedingungen all unserer Projektionen liegt der im Jahre 1975 tatsächlich zu erwartende Wert mit 90 % Sicherheit zwischen den ausgewiesenen unteren und oberen Werten [1]. Den angegebenen mittleren Werten kommt dabei die höchste Wahrscheinlichkeit zu.

Die Projektion der Erwerbspersonen in den Stadt- und Landkreisen Baden-Württembergs für das Jahr 1975 (vgl. Tabelle 24) erfolgte einmal nur aufgrund der natürlichen Bevölkerungsfortschreibung (Spalten (1) bis (3)), zum anderen auch unter Berücksichtigung der Binnen- und Außenwanderungen (Spalten (4) bis (6)). Bei dem Wanderungszuschlag auf die natürliche Wohnbevölkerung wurde der durchschnittliche jährliche Zuwanderungsgewinn in den Jahren 1962 bis 1967 mit 0,16 % der Wohnbevölkerung zugrundegelegt. Auf die Interpretation der Tabelle 24 können wir hier verzichten, weil sie das Ausgangsmaterial für unsere Projektion der Arbeitslosenquoten und des für die Erhaltung der Vollbeschäftigung notwendigen Wachstums darstellt.

Eine andere Grundlage aller unserer Projektionen, auch derjenigen über die theoretische und tatsächliche Freisetzung, bilden die Daten der Tabelle 25. In den Spalten (7) bis (9) sind die Wachstumsraten der Arbeitsproduktivität in den Stadt- und Landkreisen Baden-Württembergs im Durchschnitt der Jahre 1967 bis 1975 angegeben. Wir unterstellen damit, daß die von uns verwandte Wachstumsrate des Bruttoinlandsprodukts je Kopf der Wohnbevölkerung den technischen Fortschritt ebenso gut ausdrückt wie die an sich treffendere Wachstumsrate des Bruttoinlandsprodukts je Beschäftigten.

---

1) Vgl. D. V. Lindley, Introduction to Probability and Statistics From A Bayesian Viewpoint, Part 2, Inference, Cambridge 1965, S. 22 f.

Tabelle 24

Projektion der Erwerbspersonen in den Stadt- und Landkreisen Baden-Württembergs für das Jahr 1975 in Tausend Personen.

1. Regierungsbezirk Nordwürttemberg

Kreise a)	Erwerbspersonen ohne Berücksichtigung von Wanderungen (in Tausend Personen)			Erwerbspersonen unter Berücksichtigung von Wanderungen (in Tausend Personen) b)		
	Unterer Wert	Mittlerer Wert	Oberer Wert	Unterer Wert	Mittlerer Wert	Oberer Wert
(o)	(1)	(2)	(3)	(4)	(5)	(6)
S	259,0	273,3	287,6	259,4	273,7	288,1
HN-S	42,3	43,5	44,8	42,3	43,6	44,8
UL-S	33,0	35,1	37,1	33,1	35,1	37,2
AA	65,1	65,9	66,7	65,2	66,0	66,8
BK	49,4	50,3	51,3	49,4	50,4	51,4
BB	106,9	108,5	110,0	107,1	108,7	110,2
CR	28,2	28,7	29,2	28,3	28,8	29,3
ES	119,1	121,0	122,9	119,3	121,2	123,1
GP	98,7	99,9	101,2	98,9	100,1	101,3
HDH	56,8	57,8	58,8	56,9	57,9	58,9
HN-L	85,0	87,6	90,2	85,2	87,8	90,4
KÜN	147,6	149,6	151,6	147,9	149,8	151,8
LEO	69,6	70,6	71,6	69,7	70,7	71,7
LB	148,5	149,7	150,8	148,7	149,9	151,1
MGH	18,2	18,5	18,9	18,2	18,5	18,9
NT	76,2	76,8	77,4	76,3	76,9	77,5
ÖHR	20,9	21,1	21,3	21,0	21,2	21,4
GD	47,3	47,9	48,4	47,4	47,9	48,5
SHA	26,8	27,1	27,5	26,8	27,2	27,5
UL-L	43,7	44,3	44,9	43,8	44,4	45,0
VAI	44,4	45,0	45,7	44,5	45,1	45,8
WN	123,5	124,8	126,2	123,7	125,0	126,4
Insges.	1710,2	1747,0	1784,1	1713,1	1749,9	1787,1

2. Regierungsbezirk Nordbaden

KA-S	101,3	104,2	107,1	101,5	104,4	107,3
HD-S	40,5	41,7	42,9	40,6	41,8	43,0
MA-S	137,9	141,7	145,5	138,1	141,9	145,7
PF-S	42,1	44,3	46,4	42,2	44,4	46,5
BR	64,1	65,0	65,9	64,2	65,1	66,0
BCH	27,3	27,9	28,5	27,3	27,9	28,5
HD-L	76,4	78,4	80,4	76,6	78,5	80,5
KA-L	88,2	89,5	90,8	88,3	89,7	91,0
MA-L	77,5	78,7	79,9	77,6	78,9	80,1
MOS	32,1	33,0	33,9	32,2	33,1	33,9
PF-L	35,7	36,8	38,0	35,7	36,9	38,1
SNH	34,8	36,3	37,7	34,9	36,3	37,8
TBB	33,0	33,7	34,5	33,0	33,8	34,5
Insges.	790,9	811,2	831,5	792,2	812,7	832,9

Fortsetzung der Tabelle 24

3. Regierungsbezirk Südbaden

Kreise a)	Erwerbspersonen ohne Berücksichtigung von Wanderungen (in Tausend Personen)			Erwerbspersonen unter Berücksichtigung von Wanderungen (in Tausend Personen) b)		
	Unterer Wert	Mittlerer Wert	Oberer Wert	Unterer Wert	Mittlerer Wert	Oberer Wert
(o)	(1)	(2)	(3)	(4)	(5)	(6)
FR-S	61,8	63,1	64,3	61,9	63,2	64,4
BAD	13,6	13,9	14,2	13,6	13,9	14,3
BH	41,0	42,1	43,1	41,1	42,1	43,2
DS	34,3	34,7	35,1	34,4	34,8	35,1
EM	51,2	52,6	53,9	51,3	52,6	54,0
FR-L	44,8	46,0	47,2	44,9	46,1	47,3
NEU	19,7	21,0	22,2	19,8	21,0	22,2
KEL	25,6	26,1	26,6	25,7	26,2	26,6
KN	84,6	85,3	86,0	84,8	85,4	86,1
LR	38,0	38,9	39,8	38,0	38,9	39,8
LÖ	67,0	68,1	69,1	67,1	68,2	69,3
MÜL	27,6	28,1	28,7	27,7	28,2	28,7
OG	45,8	47,2	48,6	45,9	47,3	48,7
RA	63,7	64,7	65,7	63,8	64,8	65,8
SÄK	34,3	34,8	35,3	34,4	34,9	35,4
STO	25,1	25,4	25,7	25,1	25,4	25,7
ÜB	33,8	35,2	36,6	33,8	35,2	36,6
VL	47,1	47,6	48,2	47,1	47,7	48,3
WT	30,1	30,8	31,4	30,2	30,8	31,4
WOL	24,7	24,9	25,2	24,7	25,0	25,2
Insges.	813,8	830,5	846,9	815,3	831,7	848,1

4. Regierungsbezirk Südwürttemberg-Hohenzollern

BL	54,4	55,3	56,2	54,5	55,4	56,3
BC	50,2	50,9	51,6	50,3	51,0	51,7
CW	68,5	70,7	73,0	68,6	70,8	73,1
EHI	21,6	21,9	22,2	21,6	21,9	22,2
FDS	29,9	30,3	30,7	30,0	30,4	30,7
HCH	27,7	28,5	29,2	27,8	28,5	29,2
HOR	22,7	22,9	23,1	22,7	22,9	23,1
MÜN	19,4	19,8	20,2	19,5	19,9	20,2
RV	50,1	51,1	52,1	50,2	51,2	52,1
RT	85,2	85,7	86,2	85,3	85,8	86,4
RW	62,4	63,2	64,0	62,5	63,3	64,1
SLG	30,2	30,7	31,2	30,2	30,8	31,2
SIG	25,6	26,0	26,4	25,6	26,0	26,4
TT	39,1	39,6	40,1	39,1	39,7	40,2
TÜ	66,0	67,0	67,9	66,1	67,1	68,0
TUT	42,3	42,9	43,4	42,4	43,0	43,5
WG	33,7	34,4	35,0	33,8	34,4	35,1
Insges.	729,0	740,9	752,5	730,2	742,1	753,5
Baden-Württ.	4043,9	4129,6	4215,0	4050,8	4136,4	4221,6

a) Autokennzeichen der Stadt- und Landkreise.
b) Beim Wanderungsaufschlag wurde der durchschnittliche jährliche Zuwanderungsgewinn in den Jahren 1962 - 1967 mit 0,16 % der Wohnbevölkerung zugrunde gelegt.

Quellen: Eigene Berechnungen des IAW aus Nr. 1, Nr. 9, Nr. 16 und Nr. 19 des Verzeichnisses der statistischen Quellen.

Tabelle 25

Projektion der Arbeitsproduktivität und des technischen Fortschritts in den Stadt- und Landkreisen Baden-Württembergs für 1967 - 1975

- Bruttoinlandsprodukt je Kopf der Wohnbevölkerung P(Y/B) in Tausend DM, Industrieumsatz nach Hauptbeteiligten (mit 10 und mehr Beschäftigten) je Beschäftigten P(Uh/A) in Tausend DM, durchschnittliche jährliche Wachstumsraten dieser Produktivitäten in % -

1. Regierungsbezirk Nordwürttemberg

Kreise a)	Arbeitsproduktivität 1975 in 1000 DM						Technischer Fortschritt 1967 - 1975 in %					
	P(Y/B)			P(Uh/A)			Ø w P(Y/B)			Ø w P(Uh/A)		
	Unterer Wert	Mittlerer Wert	Oberer Wert	Unterer Wert	Mittlerer Wert	Oberer Wert	Unterer Wert	Mittlerer Wert	Oberer Wert	Unterer Wert	Mittlerer Wert	Oberer Wert
(o)	(1)	(2)	(3)	(4)	(5)	(6)	(7)	(8)	(9)	(10)	(11)	(12)
S	24,6	25,5	26,4	90,7	93,2	95,7	5,3	6,0	6,6	5,0	5,5	5,9
HN-S	18,5	19,2	19,9	50,2	53,6	57,0	4,0	4,6	5,1	2,9	3,8	4,8
UL-S	21,7	22,9	24,2	57,4	65,1	72,9	5,3	6,2	7,2	3,3	5,2	7,2
AA	9,6	9,9	10,3	45,8	48,0	50,1	4,8	5,3	6,0	3,5	4,3	4,9
BK	8,1	8,4	8,7	42,4	45,1	47,7	5,0	5,6	6,1	2,5	3,3	4,2
BB	19,2	20,1	21,0	31,7	37,2	42,6	6,7	7,5	8,3	3,4	6,0	8,4
CR	7,1	7,6	8,0	41,7	44,0	46,3	4,4	5,4	6,3	2,8	3,6	4,4
ES	11,5	11,9	12,3	54,4	57,1	59,9	4,7	5,2	5,8	3,6	4,3	5,1
GP	11,6	12,0	12,5	45,6	48,0	50,4	4,4	4,9	5,6	3,0	3,7	4,4
HDH	10,5	11,6	12,7	33,9	43,7	53,5	2,0	3,4	4,7	-1,3	1,6	4,4
HN-L	8,4	8,7	9,0	56,3	61,1	65,8	5,3	5,8	6,4	2,9	4,1	5,3
KÜN	10,6	11,1	11,5	65,3	69,5	73,7	6,0	6,8	7,4	4,0	5,0	6,0
LEO	8,7	9,2	9,7	48,3	53,4	58,5	4,2	5,1	6,0	3,4	5,0	6,5
LB	11,2	11,6	12,1	58,0	60,7	63,5	4,8	5,4	6,1	3,8	4,5	5,2
MGH	8,8	9,1	9,5	35,7	37,3	38,9	5,2	5,7	6,5	2,7	3,3	3,9
NT	10,3	10,7	11,0	43,9	46,3	48,6	4,3	4,9	5,4	3,0	3,8	4,5
ÖHR	7,6	7,8	8,1	33,2	35,6	38,1	4,8	5,2	5,9	2,9	3,9	5,0
GD	10,6	11,1	11,7	46,3	49,3	52,3	5,0	5,8	6,7	3,6	4,5	5,5
SHA	8,8	9,2	9,6	39,7	41,6	43,6	4,7	5,4	6,1	2,8	3,4	4,1
UL-L	6,8	7,1	7,3	54,9	56,9	59,0	5,0	5,7	6,1	4,4	4,9	5,5
VAI	9,1	9,4	9,7	46,8	49,0	51,2	4,7	5,2	5,7	4,1	4,8	5,6
WN	10,4	10,7	11,0	51,9	53,9	55,8	5,2	5,6	6,1	4,2	4,8	5,3

Fortsetzung der Tabelle 25

2. Regierungsbezirk Nordbaden

Kreise a)	Arbeitsproduktivität 1975 in 1000 DM						Technischer Fortschritt 1967 - 1975 in %					
	P(Y/B)			P(Uh/A)			Ø wP(Y/B)			Ø wP(Uh/A)		
	Unterer Wert	Mittlerer Wert	Oberer Wert	Unterer Wert	Mittlerer Wert	Oberer Wert	Unterer Wert	Mittlerer Wert	Oberer Wert	Unterer Wert	Mittlerer Wert	Oberer Wert
(o)	(1)	(2)	(3)	(4)	(5)	(6)	(7)	(8)	(9)	(10)	(11)	(12)
KA-S	19,2	20,3	21,4	70,0	82,1	94,2	6,4	7,4	8,4	3,4	6,0	8,5
HD-S	15,0	16,0	17,0	66,5	69,5	72,5	6,4	7,6	8,8	4,5	5,2	5,9
MA-S	18,6	19,2	19,9	78,3	82,4	86,4	5,2	5,7	6,3	2,9	3,7	4,4
PF-S	21,5	22,5	23,4	68,5	74,0	79,4	5,4	6,1	6,8	4,4	5,6	6,9
BR	8,7	9,0	9,4	34,3	37,5	40,8	5,6	6,1	6,9	3,2	4,5	5,9
BCH	7,3	7,7	8,2	27,6	30,0	32,5	5,8	6,7	7,9	2,3	3,5	4,7
HD-L	8,1	8,3	8,6	45,2	46,5	47,8	6,2	6,6	7,3	4,3	4,8	5,2
KA-L	7,1	7,3	7,5	53,6	56,0	58,4	6,0	6,5	7,0	3,5	4,2	4,8
MA-L	8,1	8,4	8,7	50,8	54,6	58,5	5,2	5,9	6,5	2,2	3,2	4,2
MOS	8,4	8,5	8,9	37,7	40,8	43,9	5,9	6,1	6,9	3,3	4,5	5,6
PF-L	6,7	6,9	7,1	44,9	48,5	52,1	5,8	6,3	6,8	3,1	4,3	5,4
SNH	7,9	8,2	8,6	36,2	38,9	41,5	6,4	7,1	8,0	3,0	4,1	5,1
TBB	8,7	9,2	9,6	49,3	52,4	55,5	6,1	7,1	7,9	4,4	5,3	6,3

Fortsetzung der Tabelle 25

3. Regierungsbezirk Südbaden

Kreise a)	Arbeitsproduktivität 1975 in 1000 DM						Technischer Fortschritt 1967 - 1975 in %					
	P(Y/B)			P(Uh/A)			Ø w P(Y/B)			Ø w P (Uh/A)		
	Unterer Wert	Mittlerer Wert	Oberer Wert	Unterer Wert	Mittlerer Wert	Oberer Wert	Unterer Wert	Mittlerer Wert	Oberer Wert	Unterer Wert	Mittlerer Wert	Oberer Wert
(o)	(1)	(2)	(3)	(4)	(5)	(6)	(7)	(8)	(9)	(10)	(11)	(12)
FR-S	15,0	15,9	16,7	60,3	62,4	64,6	5,1	6,0	6,9	4,1	4,7	5,2
BAD	12,8	14,2	15,6	•	•	•	1,0	2,4	3,7	•	•	•
BH	8,7	9,1	9,4	51,1	54,2	57,3	5,0	5,7	6,3	3,7	4,6	5,5
DS	9,7	10,0	10,3	40,2	43,7	47,2	6,0	6,5	7,0	1,8	3,0	4,1
EM	8,0	8,2	8,4	40,8	42,1	43,4	5,3	5,8	6,2	3,1	3,5	4,0
FR-L	6,2	6,3	6,5	55,7	65,7	75,7	6,1	6,4	6,9	2,7	5,2	7,7
NEU	8,9	9,2	9,5	46,8	48,9	51,1	5,1	5,6	6,2	3,0	3,6	4,3
KEL	9,3	9,6	9,8	49,9	63,9	78,0	5,8	6,4	6,7	3,0	7,0	11,0
KN	10,3	10,6	11,0	59,8	61,8	63,8	4,3	4,8	5,4	3,1	3,6	4,1
LR	13,8	14,6	15,3	87,7	99,3	110,8	4,9	5,8	6,6	4,2	6,2	8,2
LÖ	10,7	11,0	11,4	66,8	70,3	73,8	4,9	5,4	6,0	3,8	4,6	5,3
MÜL	7,7	7,9	8,2	35,9	39,4	42,8	5,7	6,1	6,7	2,3	3,6	4,9
OG	11,8	12,3	12,9	54,3	56,6	59,0	5,5	6,2	7,0	3,9	4,5	5,2
RA	12,0	12,4	12,9	62,6	68,0	73,3	5,1	5,7	6,4	1,8	3,0	4,0
SÄK	11,6	12,3	12,9	62,5	66,3	70,1	4,8	5,8	6,6	3,3	4,1	5,0
STO	6,9	7,2	7,6	18,5	23,0	27,5	4,5	5,2	6,1	1,7	4,9	8,0
ÜB	8,3	8,6	8,8	50,1	63,4	76,7	5,1	5,6	6,0	4,8	9,1	13,3
VL	11,0	11,6	12,1	50,4	55,5	60,6	4,0	4,8	5,5	2,6	4,0	5,3
WT	8,8	9,1	9,5	59,3	63,1	66,8	3,9	4,4	5,1	3,1	4,1	4,9
WOL	9,2	9,6	10,0	49,0	52,4	55,8	4,9	5,6	6,2	3,5	4,5	5,6

Fortsetzung der Tabelle 25

4. Regierungsbezirk Südwürttemberg-Hohenzollern

Kreise a)	Arbeitsproduktivität 1975 in 1000 DM						Technischer Fortschritt 1967-1975 in %					
	P(Y/B)			P(Uh/A)			Ø w P(Y/B)			Ø w P(Uh/A)		
	Unterer Wert	Mittlerer Wert	Oberer Wert	Unterer Wert	Mittlerer Wert	Oberer Wert	Unterer Wert	Mittlerer Wert	Oberer Wert	Unterer Wert	Mittlerer Wert	Oberer Wert
(o)	(1)	(2)	(3)	(4)	(5)	(6)	(7)	(8)	(9)	(10)	(11)	(12)
BL	12,6	13,0	13,4	57,2	60,1	63,1	5,4	5,9	6,4	4,5	5,3	6,1
BC	11,6	11,9	12,1	67,4	70,9	74,3	5,8	6,3	6,6	5,1	5,9	6,7
CW	8,9	9,2	9,5	51,3	53,8	56,4	4,8	5,4	5,9	4,5	5,2	6,0
EHI	8,3	8,6	8,9	56,0	59,4	62,8	4,3	4,8	5,4	1,7	2,5	3,2
FDS	10,8	11,2	11,5	54,1	57,0	59,9	4,9	5,5	5,9	3,5	4,3	5,0
HCH	8,9	9,2	9,5	43,7	46,7	49,8	5,6	6,2	6,8	3,5	4,5	5,5
HOR	7,1	7,3	7,5	28,2	29,6	31,0	5,0	5,4	5,9	2,8	3,5	4,2
MÜN	7,2	7,4	7,7	24,3	26,5	28,7	5,2	5,7	6,3	0,9	2,0	3,2
RV	10,1	10,4	10,7	59,9	63,8	67,8	5,1	5,6	6,1	2,7	3,6	4,5
RT	12,6	13,0	13,5	52,7	54,7	56,7	5,2	5,7	6,3	3,8	4,3	4,9
RW	11,0	11,4	11,7	32,9	34,5	36,1	5,0	5,6	6,0	3,0	3,7	4,4
SLG	8,6	9,0	9,3	46,7	48,8	50,9	4,8	5,6	6,1	3,2	3,9	4,5
SIG	8,3	8,7	9,0	53,4	57,0	60,6	4,3	5,0	5,6	3,3	4,2	5,2
TT	11,1	11,4	11,8	56,0	61,8	67,5	5,6	6,0	6,6	2,9	4,4	5,8
TÜ	10,0	10,4	10,8	52,1	55,1	58,1	5,2	5,9	6,5	3,8	4,7	5,6
TUT	12,0	12,6	13,1	41,3	43,7	46,0	5,3	6,2	6,9	3,8	4,7	5,5
WG	9,9	10,4	10,9	65,4	69,2	73,0	4,8	5,6	6,4	4,0	4,8	5,7
Baden-Württbg.	12,3	12,6	13,0	58,2	60,2	62,2	5,2	5,6	6,1	3,9	4,4	5,0

a) Autokennzeichen der Stadt- und Landkreise.

Der ebenfalls in der Tabelle 25 ausgewiesene Umsatz je Industriebeschäftigten (Spalten (4) bis (6)) sowie die Veränderungsraten dieser industriellen Arbeitsproduktivität (Spalten (10) bis (12)) werden von uns nicht für Freisetzungsprojektionen herangezogen. Freisetzung und Arbeitslosigkeit sind ja nicht als sektorspezifisches Phänomen, sondern nur als regionalspezifische Erscheinung zu verstehen. Dennoch kommt diesen Angaben für die Industrie ein Aussagegehalt zu. Müßte die Hypothese eines intersektoralen Ausgleichs auf dem Arbeitsmarkt aufgegeben werden, so ließe sich wenigstens für einen Teilsektor das Freisetzungsproblem diskutieren. Wir sehen jedoch keinen Anlaß, diesen Ansatz weiter zu verfolgen. Das zu erwartende höhere Bildungsniveau wird - neben anderen Faktoren - die intersektorale Mobilität der Arbeitskräfte weiter erhöhen.

Betrachten wir nun die ersten Ergebnisse unserer Freisetzungsprojektion (vgl. Tabelle 26). Die theoretische Freisetzung im Jahre 1975 beziffert die Zahl der vom Beschäftigtenstand des Jahres 1966 aus gesehen nicht mehr eingesetzten Arbeitskräfte. Die theoretische Freisetzung in Tausend Personen wurde nach der Formel (10.1) berechnet. Die Prämissen lauten dabei: Kein Produktionswachstum, jedoch technischer Fortschritt. Die Beschäftigtenzahlen in den Spalten (1) bis (3) der Tabelle 26 drücken demnach aus, welche Anzahl der im Jahre 1966 Beschäftigten unter den genannten Prämissen im Jahre 1975 arbeitslos wäre. Der technische Fortschritt würde also z.B. in Stuttgart eine theoretische Freisetzung von 110.900 bis 127.900 Beschäftigten herbeiführen. In Baden-Baden könnte der technische Fortschritt trotz konstanter Güterproduktion nur zwischen 1.600 und 4.700 Arbeitslose mit sich bringen.

Bei der in den Spalten (4) bis (6) ausgewiesenen tatsächlichen Freisetzung werden die Prämissen der Realität besser angenähert. Neben dem technischen Fortschritt vollzieht

Tabelle 26

Projektion der theoretischen und der tatsächlichen Freisetzung [a] in den Stadt- und Landkreisen Baden-Württembergs für das Jahr 1975 in Tausend Personen

1. Regierungsbezirk Nordwürttemberg

Kreise [b]	Theoretische Freisetzung in Tausend Personen			Tatsächliche Freisetzung in Tausend Personen		
	Unterer Wert	Mittlerer Wert	Oberer Wert	Unterer Wert	Mittlerer Wert	Oberer Wert
(o)	(1)	(2)	(3)	(4)	(5)	(6)
S	110,9	120,4	127,9	- 87,8	- 70,2	- 56,2
HN-S	12,5	13,8	14,9	- 11,6	- 9,4	- 7,6
UL-S	14,6	16,1	17,7	- 7,9	- 5,3	- 2,5
AA	22,5	24,1	26,1	- 18,7	- 15,8	- 12,2
BK	16,6	18,0	19,0	- 13,3	- 10,9	- 9,0
BB	37,0	39,7	42,1	- 51,5	- 45,0	- 39,1
CR	9,9	11,4	12,6	- 8,1	- 5,5	- 3,4
ES	36,3	38,9	41,9	- 42,5	- 37,5	- 31,7
GP	32,5	35,0	38,4	- 30,2	- 25,8	- 19,8
HDH	9,7	14,9	18,9	- 23,2	- 14,9	- 8,4
HN-L	31,3	33,3	35,5	- 31,4	- 27,5	- 23,2
KÜN	6,2	6,7	7,1	- 4,0	- 3,1	- 2,4
LEO	18,1	20,7	23,1	- 38,3	- 32,6	- 27,4
LB	45,9	49,8	53,9	- 56,5	- 48,8	- 40,7
MGH	7,1	7,6	8,3	- 4,8	- 4,0	- 2,8
NT	22,5	24,7	26,4	- 25,2	- 21,2	- 18,1
ÖHR	7,3	7,7	8,4	- 5,4	- 4,7	- 3,5
GD	17,3	19,1	20,9	- 16,9	- 13,4	- 10,0
SHA	10,6	11,5	12,5	- 6,9	- 5,2	- 3,6
UL-L	15,2	16,6	17,4	- 12,2	- 9,7	- 8,3
VAI	14,1	15,1	16,0	- 16,4	- 14,5	- 12,7
WN	39,1	41,2	43,5	- 49,0	- 44,8	- 40,0

2. Regierungsbezirk Nordbaden

KA-S	43,3	47,3	50,8	- 31,1	- 23,1	- 16,1
HD-S	20,5	22,8	24,8	- 11,9	- 7,5	- 3,7
MA-S	52,2	55,5	59,2	- 26,1	- 20,5	- 14,1
PF-S	15,4	16,8	18,0	- 11,6	- 9,0	- 6,8
BR	21,0	25,3	27,3	- 18,7	- 13,3	- 9,6
BCH	11,3	12,4	13,7	- 7,2	- 5,2	- 2,8
HD-L	29,5	30,7	32,7	- 23,3	- 20,9	- 17,0
KA-L	33,6	35,4	37,1	- 25,8	- 22,3	- 19,0
MA-L	27,4	29,8	31,7	- 22,6	- 18,2	- 14,6
MOS	12,4	12,7	13,7	- 10,3	- 5,8	- 7,8
PF-L	14,1	14,8	15,6	- 10,9	- 9,5	- 8,0
SNH	15,5	16,6	17,8	- 9,5	- 7,4	- 5,1
TBB	14,5	15,9	16,9	- 9,2	- 6,5	- 4,6

Fortsetzung der Tabelle 26

3. Regierungsbezirk Südbaden

Kreise b)	Theoretische Freisetzung in Tausend Personen			Tatsächliche Freisetzung in Tausend Personen		
	Unterer Wert	Mittlerer Wert	Oberer Wert	Unterer Wert	Mittlerer Wert	Oberer Wert
(o)	(1)	(2)	(3)	(4)	(5)	(6)
FR-S	21,4	23,8	26,0	- 23,9	- 19,1	- 14,8
BAD	1,6	3,4	4,7	- 30,8	- 1,7	+ 0,1
BH	14,7	16,0	17,1	- 11,7	- 9,3	- 7,3
DS	13,4	14,1	14,8	- 11,4	- 10,0	- 8,7
EM	19,3	20,5	21,5	- 14,6	- 12,4	- 10,7
FR-L	17,1	17,7	18,5	- 18,3	- 17,1	- 15,3
NEU	7,8	8,3	8,8	- 6,7	- 5,7	- 4,8
KEL	10,2	10,9	11,2	- 9,1	- 7,7	- 7,1
KN	25,4	27,5	29,8	- 26,6	- 22,9	- 18,8
LR	14,2	15,9	17,3	- 18,0	- 14,6	- 11,8
LÖ	23,2	24,8	26,6	- 21,8	- 18,8	- 15,5
MÜL	10,7	11,2	11,9	- 9,0	- 8,1	- 6,7
OG	18,0	19,5	21,0	- 16,4	- 13,5	- 10,5
RA	21,6	23,3	25,1	- 21,6	- 18,3	- 14,9
SÄK	11,4	13,0	14,1	- 10,5	- 7,6	- 5,6
STO	8,0	8,8	9,8	- 6,9	- 5,4	- 3,7
ÜB	11,4	12,1	12,7	- 13,6	- 12,2	- 11,0
VL	13,3	15,2	16,7	- 17,7	- 14,3	- 11,5
WT	9,3	10,1	11,2	- 7,3	- 6,0	- 4,2
WOL	8,9	9,7	10,4	- 8,3	- 6,8	- 5,5

4. Regierungsbezirk Südwürttemberg-Hohenzollern

BL	20,6	21,8	23,0	- 16,4	- 14,1	- 11,8
BC	19,4	20,5	21,1	- 18,1	- 15,9	- 14,7
CW	22,7	24,7	26,1	- 25,6	- 21,9	- 19,1
EHI	6,9	7,4	8,0	- 5,9	- 5,0	- 3,9
FDS	10,5	11,3	11,9	- 9,4	- 7,8	- 6,8
HCH	10,9	11,7	12,4	- 9,4	- 7,9	- 6,5
HOR	8,0	8,5	9,0	- 7,1	- 6,2	- 5,3
MÜN	7,3	7,8	8,3	- 5,4	- 4,5	- 3,6
RV	18,1	19,2	20,3	- 14,8	- 12,7	- 10,7
RT	29,8	31,7	33,9	- 26,4	- 22,9	- 18,8
RW	22,6	24,4	25,6	- 19,5	- 16,2	- 14,0
SLG	10,9	12,1	12,8	- 10,2	- 8,0	- 6,7
SIG	7,8	8,7	9,4	- 7,0	- 5,4	- 4,2
TT	13,8	14,4	15,4	- 12,3	- 11,1	- 9,3
TÜ	22,7	24,7	26,3	- 22,3	- 18,5	- 15,4
TUT	15,4	17,0	18,2	- 13,9	- 10,8	- 8,5
WG	11,9	13,2	14,4	- 11,4	- 9,0	- 6,7
Baden-Württemberg	1409,3	1481,4	1566,8	-1219,6	-1084,6	- 924,7

a) Wachstum des Bruttoinlandprodukts wie im Durchschnitt der Jahre 1958 bis 1966.
b) Autokennzeichen der Stadt- und Landkreise.

Quellen: Eigenberechnungen des IAW aus den Tabellen 18 und 25 sowie aus Nr. 1, Nr. 9 und Nr. 16 des Verzeichnisses der statistischen Quellen.

sich nunmehr auch ein Wachstum des Produktionsvolumens. Dabei unterstellen wir für den Prognosezeitraum das gleiche Wachstum wie im Durchschnitt der Jahre 1958 bis 1966. Die nach der Formel (10.2) von uns errechnete tatsächliche Freisetzung im Jahre 1975 zeigt, um welche Beschäftigtenzahl der Arbeitseinsatz 1975 vom Arbeitseinsatz 1966 abweicht. Die bei den mittleren Werten für alle Stadt- und Landkreise Baden-Württembergs negativen Vorzeichen weisen darauf hin, daß das Wachstum der Produktion die Freisetzung durch technischen Fortschritt überkompensiert. Die Höhe der negativen tatsächlichen Freisetzung gibt genau diejenige Beschäftigtenzahl an, die in den einzelnen Stadt- und Landkreisen im Jahre 1975 verglichen mit 1966 zusätzlich erforderlich wäre, sollte das Wachstum der Vergangenheit bei technischem Fortschritt realisiert werden. Durch Produktionswachstum und technischen Fortschritt ergibt sich in Stuttgart im Jahre 1975 ein zusätzlicher Arbeitskräftebedarf zwischen 56.200 und 87.800 Personen. Der geringste mittlere zusätzliche Arbeitskräftebedarf würde in Baden-Baden mit 1.700 Personen auftreten.

Für Baden-Württemberg insgesamt steht einer theoretischen Freisetzung zwischen 1,4 und 1,6 Millionen Beschäftigten ein wachstumsbedingter zusätzlicher Arbeitskräftebedarf gegenüber, der zu einer Angebotslücke auf dem Arbeitsmarkt von insgesamt zwischen 0,9 und 1,2 Millionen Menschen führt.

Die Verknüpfung der Freisetzung mit dem Arbeitsmarkt geschieht - vgl. Formel (11.1) - über die Zahl der insgesamt Arbeitslosen, die auch vom Wachstum der Erwerbsbevölkerung mit beeinflußt wird.

Wie aus Tabelle 26 hervorgeht, ist die tatsächliche Freisetzung F_t im Jahre 1975 stets negativ. Die zweite Komponente der Arbeitslosenzahl, die Erwerbspersonen-Veränderung

$E_t - E_{t-1}$ wird - ausgenommen in den Kreisen Böblingen, Leonberg und Waiblingen - ebenfalls negativ. Demzufolge kann es eine tatsächliche Arbeitslosenquote als Pendant zur tatsächlichen Freisetzung im Jahre 1975 nicht geben. Die in den Spalten (1) bis (3) der Tabelle 27 für die Stadt- und Landkreise Baden-Württembergs veröffentlichte theoretische Arbeitslosenquote dagegen ist ökonomisch sinnvoll. Sie zeigt, welcher Prozentsatz der Erwerbspersonen im Jahre 1975 nicht beschäftigt werden könnte, wenn das Produktionsvolumen auf dem Niveau von 1966 verharren würde.

Je höher in einem Kreis die theoretische Arbeitslosenquote, desto mehr Wachstum ist notwendig, um das Erwerbspersonenpotential dieser Region voll zu beschäftigen. Wie hoch nun die Wachstumsraten des Bruttoinlandsprodukts in den einzelnen Stadt- und Landkreisen im Durchschnitt der Jahre 1967 bis 1975 sein müßten, um Vollbeschäftigung zu garantieren, ist aus den Spalten (4) bis (6) der Tabelle 27 ersichtlich. Sie wurden nach der Formel (11.3) von uns projiziert. Dabei konnten wir das Produkt aus den Wachstumsraten der Produktivität und der Erwerbsbevölkerung deshalb vernachlässigen, weil Produkte von Wachstumsraten größenmäßig nicht ins Gewicht fallen.

Das höchste notwendige Wachstum zur Erhaltung der Vollbeschäftigung benötigen künftig die Kreise Böblingen (eine notwendige Wachstumsrate von 7,7 % bis 9,6 % bei einer theoretischen Arbeitslosenquote von 42,7 % bis 48,9 %), Heidelberg-Land (eine notwendige Wachstumsrate von 5,4 % bis 7,0 % bei einer theoretischen Arbeitslosenquote von 31,0 % bis 38,2 %), Karlsruhe-Stadt (eine notwendige Wachstumsrate von 4,8 % bis 7,4 % bei einer theoretischen Arbeitslosenquote von 26,0 % bis 37,0 %), Leonberg (eine notwendige Wachstumsrate von 4,8 % bis 7,0 % bei einer theoretischen Arbeitslosenquote von 31,4 % bis 40,4 %), Freiburg-Land (eine notwendige Wachstumsrate von 5,3 % bis 6,7 % bei einer theoretischen Arbeitslosenquote von 30,6 % bis 37,0 %) und schließlich

Tabelle 27

Projektion der theoretischen Arbeitslosenquote für das Jahr 1975 sowie der zur Vollbeschäftigung notwendigen Wachstumsrate des Bruttoinlandsprodukts im Durchschnitt der Jahre 1967 - 1975 in den Stadt- und Landkreisen Baden-Württembergs in %

1. Regierungsbezirk Nordwürttemberg

Kreise a)	Theoretische Arbeitslosenquote in % der Erwerbspersonen			Vollbeschäftigungs-Wachstumsrate des Bruttoinlandsprodukts in %		
	Unterer Wert	Mittlerer Wert	Oberer Wert	Unterer Wert	Mittlerer Wert	Oberer Wert
(o)	(1)	(2)	(3)	(4)	(5)	(6)
S	10,5	18,6	25,3	2,6	3,7	4,8
HN-S	17,8	23,4	27,7	2,8	3,7	4,5
UL-S	7,8	17,5	26,4	2,3	3,7	6,3
AA	20,3	23,6	27,7	3,4	4,0	4,9
BK	25,2	29,3	32,7	4,1	4,9	5,6
BB	42,7	46,0	48,9	7,7	8,7	9,6
CR	11,7	18,4	24,1	2,3	3,5	4,5
ES	28,1	31,4	34,8	4,0	4,4	5,9
GP	17,2	20,6	24,9	2,9	3,5	4,3
HDH	5,5	16,0	24,3	0,8	2,4	3,9
HN-L	23,0	27,5	31,9	3,9	4,7	5,6
KÜN	22,4	26,7	30,1	4,2	5,1	5,8
LEO	31,4	36,2	40,4	4,8	6,0	7,0
LB	28,6	31,7	34,9	4,5	5,2	6,0
MGH	16,2	20,0	25,3	3,1	3,8	4,8
NT	23,6	27,1	29,9	3,7	4,4	4,9
ÖHR	19,2	22,0	25,9	3,3	3,8	4,6
GD	19,1	23,8	28,5	3,4	4,3	5,3
SHA	14,8	19,6	23,6	2,8	3,6	4,4
UL-L	22,7	26,9	29,5	3,8	4,6	5,2
VAI	25,3	28,6	31,7	4,0	4,7	5,3
WN	32,4	34,7	37,3	5,3	5,8	6,4

2. Regierungsbezirk Nordbaden

KA-S	26,0	32,0	37,0	4,8	6,1	7,4
HD-S	12,3	20,3	27,2	3,3	4,8	6,2
MA-S	19,4	23,8	28,4	3,5	4,2	5,1
PF-S	24,3	31,3	36,9	4,2	5,4	6,6
BR	26,1	29,2	33,2	4,5	5,1	6,1
BCH	20,6	26,2	32,4	3,9	5,0	6,4
HD-L	31,0	34,2	38,2	5,4	6,1	7,0
KA-L	29,6	32,5	35,5	5,1	5,8	6,4
MA-L	24,6	29,0	32,4	4,1	5,0	5,7
MOS	28,2	31,1	33,3	4,8	5,3	6,3
PF-L	24,6	29,1	33,3	4,4	5,2	6,0
SNH	22,7	28,6	34,5	4,4	5,5	6,8
TBB	20,2	26,4	31,0	4,0	5,2	6,2

Fortsetzung der Tabelle 27

3. Regierungsbezirk Südbaden

Kreise a)	Theoretische Arbeitslosenquote in % der Erwerbspersonen			Vollbeschäftigungs-Wachstumsrate des Bruttoinlandsprodukts in %		
	Unterer Wert	Mittlerer Wert	Oberer Wert	Unterer Wert	Mittlerer Wert	Oberer Wert
(o)	(1)	(2)	(3)	(4)	(5)	(6)
FR-S	24,8	30,2	34,9	4,1	5,2	5,3
BAD	0,0	0,0	0,4	-2,2	-0,6	1,0
BH	20,7	25,8	30,1	3,5	4,5	5,3
DS	27,8	30,6	33,1	4,9	5,5	6,1
EM	19,7	25,2	28,9	3,7	4,4	5,1
FR-L	30,6	33,5	37,0	5,3	5,9	6,7
NEU	14,6	21,8	28,6	2,9	3,9	5,1
KEL	23,7	27,5	29,9	4,2	5,0	5,5
KN	22,6	25,5	28,8	3,5	4,1	4,8
LR	15,3	21,6	27,0	2,9	4,0	5,0
LÖ	21,6	25,2	29,0	3,6	4,3	5,0
MÜL	24,6	27,6	31,3	4,3	4,9	5,7
OG	20,8	26,2	31,6	3,8	4,7	5,8
RA	26,4	30,0	33,8	4,3	5,1	5,9
SÄK	23,4	28,7	32,9	3,8	4,9	5,9
STO	21,7	26,0	30,6	3,5	4,3	5,3
ÜB	26,7	31,8	35,8	4,4	5,3	6,1
VL	21,4	26,2	30,2	3,3	4,2	5,0
WT	12,5	17,1	23,0	2,2	2,9	3,9
WOL	18,6	22,9	26,2	3,3	4,1	4,7

4. Regierungsbezirk Südwürttemberg-Hohenzollern

BL	22,3	25,9	29,1	3,9	4,6	5,2
BC	26,2	29,2	31,3	4,6	5,2	5,6
CW	23,4	28,4	32,7	3,8	4,7	5,6
EHI	18,0	21,6	25,4	2,9	3,6	4,3
FDS	20,9	24,8	27,1	3,5	4,3	4,8
HCH	22,0	26,6	30,8	4,0	4,8	5,6
HOR	21,3	23,9	26,8	3,6	4,1	4,7
MÜN	19,7	23,6	27,4	3,5	4,2	4,9
RV	21,8	25,5	28,9	3,7	4,4	5,1
RT	25,3	28,0	30,9	4,2	4,8	5,4
RW	19,5	23,4	26,2	3,4	4,1	4,7
SLG	16,7	22,1	25,3	3,0	4,0	4,6
SIG	20,9	25,4	29,3	3,3	4,2	4,9
TT	30,0	32,7	35,8	5,0	5,6	6,3
TÜ	26,6	30,7	33,9	4,4	5,2	6,0
TUT	24,0	28,9	32,5	4,1	5,1	5,9
WG	18,7	23,9	28,8	3,2	4,2	5,2
Baden-Württemberg	25,8	29,0	32,4	4,3	4,9	5,6

a) Autokennzeichen der Stadt- und Landkreise.

Quellen: Eigenberechnungen des IAW aus den Tabellen 18, 24, 25 und 26.

Waiblingen (eine notwendige Wachstumsrate von 5,3 % bis 6,4 % bei einer theoretischen Arbeitslosenquote von 32,4 % bis 37,3 %).

Die Reihenfolge der Stadt- und Landkreise mit den relativ niedrigsten notwendigen Vollbeschäftigungs-Wachstumsraten ist: Schwäbisch Hall, Göppingen, Crailsheim, Waldshut, Heidenheim und Baden-Baden.

Ein Vergleich der durchschnittlichen jährlichen Wachstumsraten in den Jahren 1958 bis 1966 (vgl. Tabelle 18, Spalte (12)) mit den von uns projizierten Vollbeschäftigungs-Wachstumsraten für den Zeitraum von 1967 bis 1975 (vgl. Tabelle 27, Spalte (5)) läßt die interessante Feststellung zu, daß bei nicht beschleunigtem Fortschrittstempo die Regionen Baden-Württembergs durchweg weniger stark als in der Vergangenheit wachsen können. Das Arbeitskräftepotential war bereits in der Vergangenheit voll ausgeschöpft und ist somit für die Zukunft in noch stärkerem Ausmaße ein das Wirtschaftswachstum beschränkender Faktor.

Versuchen wir auch am Ende dieses Abschnitts eine kurze Zusammenfassung der Ergebnisse:

1. Unter den Prämissen, die unseren Projektionen zugrunde liegen, wird trotz der erheblichen theoretischen Freisetzung durch technischen Fortschritt das Arbeitsangebot in verstärktem Ausmaße der beschränkende Faktor für das künftige wirtschaftliche Wachstum sein.

2. Möglichkeiten, die Wachstumschancen der Regionen zu steigern, sind erstens in einem Zustrom von Arbeitskräften aus den übrigen Bundesländern oder aus dem Ausland zu sehen, zweitens in einer Beschleunigung des technischen Fortschritts und drittens in einer, allerdings nur schwer vorstellbaren, Erhöhung der Erwerbsquote.

3. In der Vergangenheit bewirkte der technische Fortschritt auf dem Arbeitsmarkt quantitativ kaum Störungen. Die Freisetzung wurde in Baden-Württemberg mengenmäßig nie zu einem sozialpolitischen Problem [1]. Das wird in der von uns projizierten Zukunft bis zum Jahre 1975 noch weit weniger der Fall sein. Es wird ganz im Gegenteil gerade darauf ankommen, den technischen Fortschritt wegen des knappen Arbeitsangebotes zu forcieren.

1) Vgl. zum Fragenkreis der normativen Wachstumstheorie W. Vogt, Theorie des wirtschaftlichen Wachstums, Berlin und Frankfurt 1968, S. 16.

VI. Ausblick

Die wichtigsten Ergebnisse unserer Untersuchung über die sektoralen und regionalen Auswirkungen des technischen Fortschritts auf den Arbeitsmarkt in Baden-Württemberg haben wir jeweils am Ende der Abschnitte in den Kapiteln IV und V thesenartig zusammengefaßt.

Hier wollen wir die Bedingungen erörtern, die für eine noch tiefergehende und dadurch mit mehr Informationsgehalt ausgestattete Regionalanalyse in Baden-Württemberg erfüllt sein müßten. Dabei sehen wir einmal von dem verfügbaren statistischen Material ab.

Wollte man den technischen Fortschritt streng analytisch untersuchen, so wären Verfahren anzuwenden, die es gestatten, Struktureffekte sektoraler und regionaler Art im Zeitablauf zu isolieren. Ein erster Ansatzpunkt dafür wäre in einer zeitpunktbezogenen regionalen Input-Output-Tabelle für Baden-Württemberg zu sehen. Damit würden dem Wirtschaftspolitiker Möglichkeiten zur exakten Quantifizierung seiner Maßnahmen und Zielgrößen erschlossen. So kann z.B. mithilfe einer derartigen Tabelle der sogenannten Mitzieh-Effekt quantifiziert werden, "der zeigt, welche Sektoren in welchem Umfange von der Wachstumsförderung bestimmter Wirtschaftszweige profitieren" [1].

Wichtige strukturpolitische Fragestellungen sind aber meist nicht streng zeitpunktbezogen, sondern nur mithilfe einer dynamischen Analyse zu beantworten [2]. Auch die Input-Output-

1) R. Stäglin, Zum Stand der Input-Output-Rechnung in der Bundesrepublik, in: Konjunkturpolitik, Zeitschrift für angewandte Konjunkturforschung, 14. Jahrgang, 5./6. Heft 1968, S. 378.

2) Dieses Problem tritt auch bei H. K. Schneider, H. Biermann u. H.-L. Fischer, Die Einkommens- und Beschäftigungswirkungen der Teilmaßnahmen des Entwicklungsprogramms Ruhr, Gutachten im Auftrage der Landesregierung von Nordrhein-Westfalen, April 1968, auf.

Rechnung könnte schließlich ökonometrisch so verfeinert werden, daß gleichzeitig sektorale, regionale und temporale Veränderungen der Wirtschaft ablesbar wären. Sie würde Prognosen erlauben, die dem Wirtschaftspolitiker spürbare Entscheidungshilfen gäben. Allerdings - und das sei abschließend bemerkt - setzt eine Anwendung des geschilderten Instrumentes einen "Mitzieh-Effekt" der amtlichen Statistik voraus.

Anhang

a) Herleitung der Formel (8.1):

$$P_R = \frac{Y}{A} = \frac{Y_{S1}+Y_{S2}+ \dots + Y_{Sn}}{A_{S1}+A_{S2}+ \dots + A_{Sn}} = \frac{A_{S1}\frac{Y_{S1}}{A_{S1}} + A_{S2}\frac{Y_{S2}}{A_{S2}} + \dots + A_{Sn}\frac{Y_{Sn}}{A_{Sn}}}{A_{S1} + A_{S2} + \dots + A_{Sn}}$$

$$= \frac{A_{S1}}{A_{S1}+A_{S2}+\dots+A_{Sn}} \frac{Y_{S1}}{A_{S1}} + \frac{A_{S2}}{A_{S1}+A_{S2}+\dots+A_{Sn}} \frac{Y_{S2}}{A_{S2}} + \dots +$$

$$+ \frac{A_{Sn}}{A_{S1}+A_{S2}+\dots+A_{Sn}} \frac{Y_{Sn}}{A_{Sn}}$$

$$= \frac{A_{S1}}{A} P_{S1} + \frac{A_{S2}}{A} P_{S2} + \dots + \frac{A_{Sn}}{A} P_{Sn}$$

b) Herleitung der Formel (8.2):

$$a_R = \frac{A}{Y} = \frac{A_{S1}+A_{S2}+\dots+ A_{Sn}}{Y_{S1}+Y_{S2}+\dots+ Y_{Sn}} = \frac{Y_{S1}\frac{A_{S1}}{Y_{S1}} + Y_{S2}\frac{A_{S2}}{Y_{S2}} + \dots + Y_{Sn}\frac{A_{Sn}}{Y_{Sn}}}{Y_{S1} + Y_{S2} + \dots + Y_{Sn}} =$$

$$= \frac{Y_{S1}}{Y_{S1}+Y_{S2}+\dots+Y_{Sn}} \frac{A_{S1}}{Y_{S1}} + \frac{Y_{S2}}{Y_{S1}+Y_{S2}+\dots+Y_{Sn}} \frac{A_{S2}}{Y_{S2}} + \dots +$$

$$+ \frac{Y_{Sn}}{Y_{S1}+Y_{S2}+\dots+Y_{Sn}} \frac{A_{Sn}}{Y_{Sn}} =$$

$$= \frac{Y_{S1}}{Y} a_{S1} + \frac{Y_{S2}}{Y} a_{S2} + \dots + \frac{Y_{Sn}}{Y} a_{Sn}$$

$$\frac{1}{P_R} = \frac{Y_{S1}}{Y}\frac{1}{P_{S1}} + \frac{Y_{S2}}{Y}\frac{1}{P_{S2}} + \ldots + \frac{Y_{Sn}}{Y}\frac{1}{P_{Sn}}$$

$$P_R = \left[\frac{Y_{S1}}{Y}\frac{1}{P_{S1}} + \frac{Y_{S2}}{Y}\frac{1}{P_{S2}} + \ldots + \frac{Y_{Sn}}{Y}\frac{1}{P_{Sn}}\right]^{-1}$$

c) Herleitung der Formel (9):

$$P_{Rt} = \frac{A_{S1t}}{A_t} P_{S1t} + \ldots + \frac{A_{Snt}}{A_t} P_{Snt}$$

$$= \frac{1}{A_t} (A_{S1t} P_{S1t} + \ldots + A_{Snt} P_{Snt})$$

$$w_{P_{Rt}} = \frac{P_{Rt} - P_{Rt-1}}{P_{Rt-1}} = \frac{P_{Rt}}{P_{Rt-1}} - 1 =$$

$$= \frac{\frac{1}{A_t}(A_{S1t} P_{S1t} + \ldots + A_{Snt} P_{Snt})}{\frac{1}{A_{t-1}} (A_{S1t-1} P_{S1t-1} + \ldots + A_{Snt-1} P_{Snt-1})} - 1$$

$$A_t = (1 + w_{A_t}) A_{t-1}$$

$$A_{S1t} = (1 + w_{A_{S1t}}) A_{S1t-1}$$

usw.

$$P_{S1t} = (1 + w_{P_{S1t}}) P_{S1t-1}$$

usw.

$$w_{P_{Rt}} = \frac{A_{t-1}}{(1 + w_{At}) A_{t-1}} \cdot$$

$$\cdot \frac{(1+w_{A_{S1t}})A_{S1t-1}(1+w_{P_{S1t}})P_{S1t-1} + \ldots + (1+w_{A_{Snt}})A_{Snt-1}(1+w_{P_{Snt}})P_{Snt-1}}{A_{S1t-1} P_{S1t-1} + \ldots + A_{Snt-1} P_{Snt-1}} - 1$$

$$w_{P_{Rt}} = \frac{1}{1+w_{A_t}} \frac{(1+w_{A_{S1t}})(1+w_{P_{S1t}})Y_{S1t-1}+\ldots+(1+w_{A_{Snt}})(1+w_{P_{Snt}})Y_{Snt-1}}{Y_{S1t-1} + \ldots + Y_{Snt-1}} - 1$$

$$= \frac{Y_{S1t-1}}{Y_{t-1}} \frac{1+w_{A_{S1t}}}{1+w_{A_t}}(1+w_{P_{S1t}}) + \ldots + \frac{Y_{Snt-1}}{Y_{t-1}} \frac{1+w_{A_{Snt}}}{1+w_{A_t}}(1+w_{P_{Snt}}) - 1$$

Verzeichnis der statistischen Quellen

1. Statistik von Baden-Württemberg,
Amtliches Gemeindeverzeichnis Baden-Württemberg
1955 Band 18, Stuttgart 1955, für 1.1.1955,
1956 Band 21, Stuttgart 1956, für 1.1.1956,
1957 Band 42, Stuttgart 1957, für 1.1.1957,
1959 Band 61, Stuttgart 1959, für 31.12.1958,
1960 Band 68, Stuttgart 1960, für 31.12.1959,
1961 Band 77, Stuttgart 1961, für 31.12.1960,
1962 Band 83, Stuttgart 1962, für 31.12.1961,
1963 Band 91, Stuttgart 1963, für 31.12.1962,
1964 Band 98, Stuttgart 1964, für 31.12.1963,
1965 Band 113, Stuttgart 1965, für 31.12.1964,
1966 Band 123, Stuttgart 1966, für 31.12.1965,
1967 Band 133, Stuttgart 1967, für 31.12.1966,
1968 Band 143, Stuttgart 1968, für 31.12.1967

2. Statistik von Baden-Württemberg, Band 100,
Arbeitsstätten und Beschäftigte in Baden-Württemberg,
Ergebnisse der nichtlandwirtschaftlichen Arbeitsstättenzählung
1961, Textband, Stuttgart 1967.

3. Statistik von Baden-Württemberg,
Das Bauhauptgewerbe in Baden-Württemberg
für 1957 Band 52, Stuttgart 1958,
für 1958 und 1959 Band 64, Stuttgart 1960,
für 1960 und 1961 Band 78, Stuttgart 1962,
für 1962 bis 1967 Band 141, Stuttgart 1968.

4. Statistisches Bundesamt Wiesbaden,
Bevölkerungsstruktur und Wirtschaftskraft der Bundesländer
1968, Stuttgart - Mainz 1969.

5. Sozialproduktsberechnungen der Länder, Heft 2,
Das Bruttoinlandsprodukt der kreisfreien Städte und Landkreise
in der Bundesrepublik Deutschland 1957, 1961, 1964,
Gemeinschaftsveröffentlichung der Statistischen Landesämter
1966.

6. Statistisches Landesamt Baden-Württemberg, Stuttgart, Sonderaufbereitung der Ergebnisse der Kreisberechnung 1957 Baden-Württemberg für das Bruttoinlandsprodukt 1957 der Regierungsbezirke und Stadtkreise über 100.000 Einwohner nach Wirtschaftsbereichen.

7. Statistik von Baden-Württemberg, Band 117, Ertrag, Kapital, Lohnsumme und Steuermeßbeträge der gewerblichen Unternehmen und ihre Besteuerung in Baden-Württemberg 1958, Ergebnisse der Gewerbesteuerstatistik 1958, Stuttgart 1966.

8. Statistik von Baden-Württemberg, Gemeindestatistik 1958, Band 51, Stuttgart 1958, für 31.12.1957.

9. Statistik von Baden-Württemberg, Band 90, Gemeindestatistik Baden-Württemberg 1960/61, Teil 1, Bevölkerung und Erwerbstätigkeit (Ergebnisse der Volks- und Berufszählung am 6. Juni 1961), Stuttgart 1964.

10. Statistik von Baden-Württemberg, Band 90, Gemeindestatistik Baden-Württemberg 1960/61, Teil 3, Arbeitsstätten (ohne Landwirtschaft), Teil 5, Gemeindefinanzen, Stuttgart 1964.

11. Statistik von Baden-Württemberg, Band 54, Das Handwerk in Baden-Württemberg, Ergebnisse der Handwerkszählung vom 30. Mai 1956, Stuttgart 1960.

12. Statistik von Baden-Württemberg, Band 130, Das Handwerk in Baden-Württemberg, Ergebnisse der Handwerkszählung 1963, Stuttgart 1968.

13. Statistik von Baden-Württemberg,
Ergebnisse der Industrieberichterstattung,
für 1954 und 1955 Band 29, Stuttgart 1956,
für 1956 Band 36, Stuttgart 1957,
für 1957 Band 49, Stuttgart 1958,
für 1958 Band 60, Stuttgart 1959,
für 1959 Band 66, Stuttgart 1960,
für 1960 Band 76, Stuttgart 1961,
für 1961 Band 82, Stuttgart 1962,
für 1962 Band 92, Stuttgart 1963,
für 1963 Band 99, Stuttgart 1964,
für 1964 Band 116, Stuttgart 1965,
für 1965 Band 124, Stuttgart 1966,
für 1966 Band 136, Stuttgart 1967,
für 1967 Band 148, Stuttgart 1968.

14. Statistik von Baden-Württemberg, Band 138,
Die industriellen Unternehmen in Baden-Württemberg,
Ergebnisse des Industriezensus 1963 und vergleichbarer
Erhebungen, Stuttgart 1968.

15. Statistisches Landesamt Baden-Württemberg, Stuttgart,
Sonderaufbereitung zum Industriezensus 1963 für das
Geschäftsjahr 1962.

16. Statistisches Jahrbuch für die Bundesrepublik Deutschland,
Ausgaben 1957 bis 1968.

17. Landesarbeitsamt Baden-Württemberg, Stuttgart,
unveröffentlichtes Material.

18. Statistische Monatshefte Baden-Württemberg,
Heft 4/5, X. Jahrgang, April/Mai 1962,
Sonderheft Zehn Jahre Baden-Württemberg.

19. Statistische Monatshefte Baden-Württemberg,
XVI. Jahrgang, Heft 10, Oktober 1968, Seite 278 - 282;
G. Gröner, Voraussichtliche Entwicklung der Erwerbsbevölkerung
bis zum Jahre 1985.

20. Statistische Monatshefte Baden-Württemberg,
XVI. Jahrgang, Heft 10, Oktober 1968, Seite 286 - 291;
G. Wuchter, Wirtschaftskraft und Wirtschaftsstruktur
in den Stadt- und Landkreisen 1966,
Ergebnisse der Sozialproduktsberechnungen.

21. Statistik von Baden-Württemberg,
Ergebnisse der Produktionsberichterstattung
für 1953 - 1956 Band 38, Stuttgart 1957,
für 1957 Band 53, Stuttgart 1958,
für 1958 Band 62, Stuttgart 1959,
für 1959 Band 67, Stuttgart 1960,
für 1960 und 1961, Band 85, Stuttgart 1963,
für 1962 Band 94, Stuttgart 1963,
für 1963 und 1964 Band 119, Stuttgart 1965.

22. Regierungspräsidium Südwürttemberg-Hohenzollern, Tübingen,
unveröffentlichtes Material.

23. Statistisches Landesamt Baden-Württemberg,
Statistisches Taschenbuch Baden-Württemberg 1964
(Stuttgart 1964), 1966 (Stuttgart 1966),
1968 (Stuttgart 1968).

24. Statistik von Baden-Württemberg, Band 48,
Die Wirtschaftskraft des Landes Baden-Württemberg
und seiner Stadt- und Landkreise, Methoden und
Ergebnisse regionaler Sozialproduktsberechnungen,
Stuttgart 1958.

Literaturverzeichnis

H. ALBERT, Probleme der Theoriebildung, Entwicklung, Struktur und Anwendung sozialwissenschaftlicher Theorien, in: H. Albert (Hrsg.), Theorie und Realität, Ausgewählte Aufsätze zur Wissenschaftslehre der Sozialwissenschaften, Tübingen 1964, S. 3 - 70.

K. BERKING, Arbeitspotential und Wirtschaftswachstum, Das Problem der langfristigen Vollbeschäftigung, Göttingen 1968.

DER BUNDESMINISTER DES INNERN (Hrsg.), Informationsbriefe für Raumordnung.

V. P. DIATCHENKO und J. T. DUNLOP, Labor Productivity, New York - San Francisco - Toronto - London 1964.

G. FRIEDRICHS, Technischer Wandel und Beschäftigung in der Bundesrepublik Deutschland, Gutachten im Auftrag der Kommission der Europäischen Wirtschaftsgemeinschaften, Abteilung Soziale Angelegenheiten, unveröffentlichtes Manuskript, Frankfurt (Main) 1967.

H. GERFIN, Gesamtwirtschaftliches Wachstum und regionale Entwicklung, in: Kyklos, Vol. XVII, 1964, S. 565 - 593.

H. GERFIN, Langfristige Wirtschaftsprognose, Tübingen - Zürich 1964.

H. GIERSCH, Allgemeine Wirtschaftspolitik, Erster Band, Grundlagen, Wiesbaden 1960.

H. GIERSCH und K. BORCHARDT (Hrsg.), Diagnose und Prognose als wirtschaftswissenschaftliche Methodenprobleme, Schriften des Vereins für Socialpolitik, N. F. Bd. 25, Berlin 1962.

H. GIERSCH, Das ökonomische Grundproblem der Regionalpolitik, in: Gestaltungsprobleme der Weltwirtschaft, Festschrift für Andreas Predöhl, Göttingen 1964, S. 386 ff.

G. GRÖNER und P. STEINKI, Voraussichtliche Entwicklung der Bevölkerung in Baden-Württemberg bis zum Jahr 1985, in: Statistische Monatshefte Baden-Württemberg, XVI. Jahrgang (1968), H. 6, S. 150 - 154.

W. G. HOFFMANN, On Forecasting Productivity Changes In An Expanding Economy, in: International Economic Papers , No. 9, 1959, S. 146 - 171.

IAW, Institut für Angewandte Wirtschaftsforschung, Tübingen, (T. Ihlau, L. Rall), Erster Arbeitsbericht zum Forschungsvorhaben "Theoretische und empirische Probleme des technischen Fortschritts", Tübingen 1967.

IAW, Institut für Angewandte Wirtschaftsforschung, Tübingen, (T. Ihlau, L. Rall), Zweiter Arbeitsbericht zum Forschungsvorhaben "Theoretische und empirische Probleme des technischen Fortschritts", Tübingen 1968.

IFO-Institut für Wirtschaftsforschung, Soziale Auswirkungen des technischen Fortschritts, Berlin - München 1962.

IFO-Institut für Wirtschaftsforschung, Technology and the American Economy, Auswertung der Anlagenbände zur US-amerikanischen Untersuchung und Themenvorschläge zur Automationsforschung in der Bundesrepublik, Bericht, erstellt im Auftrag des Bundesministeriums für Wirtschaft, Juni 1968.

INNENMINISTERIUM BADEN-WÜRTTEMBERG (Hrsg.), Entwurf des Landesentwicklungsplans Baden-Württemberg mit Begründung, Stuttgart 1968.

W. ISARD und J. H. CUMBERLAND (Hrsg.), Regional Economic Planning, Techniques of Analysis for less developed areas, o.J. (First published: 1961 by the O.E.E.C.).

W. KARR, Der Stand der Erwerbsstatistik in der Bundesrepublik, in: Mitteilungen des Instituts für Arbeitsmarkt- und Berufsforschung Erlangen, Nr. 3, 1968, S. 96 - 101.

W. KARR, Tafeln zur Ermittlung der Beschäftigungsveränderung bei alternativer wirtschaftlicher Entwicklung, in: Mitteilungen des Instituts für Arbeitsmarkt- und Berufsforschung Erlangen, Nr. 6, 1969, S. 456 - 497.

H. KELLERER, Statistik im modernen Wirtschafts- und Sozialleben, Reinbek bei Hamburg 1960.

L. H. KLAASSEN, Area Economic and Social Redevelopment, Development Job Opportunities, Nr. 1, OECD Paris 1965.

N. KLOTEN unter Mitarbeit von K. HÖPFNER und H. DAUTEL, Die Region Amberg, Tendenzen und Möglichkeiten ihrer wirtschaftlichen Entwicklung, Regional- und wirtschaftspolitische Studienreihe, Europäische Gemeinschaft für Kohle und Stahl, Hohe Behörde, 2. Entwicklungs- und Umstellungsprogramme, Nr. 31, Luxemburg 1966.

M. KLUGE, Technischer Fortschritt und Beschäftigung, Berichte des Deutschen Industrieinstituts zur Wirtschaftspolitik, Jg. 2/1968, Nr. 5.

W. KRELLE, Verteilungstheorie, Tübingen 1962.

H. LAMPERT, Die Lohnstruktur der Industrie, Ein Beitrag zu einer Theorie der Lohnstruktur, Heft 3 der Reihe Wirtschaft-Gesellschaft- Politik (B. Pfister, Hrsg.), Berlin 1963.

D. V. LINDLEY, Introduction to Probability and Statistics From A Bayesian Viewpoint, Part 2, Inference, Cambridge 1965.

W. LINKE, Erwerbspersonentafeln für die männliche und weibliche Bevölkerung, in: Wirtschaft und Statistik, Jg. 1967, S. 566 - 569.

B. LUTZ, Produktionsprozeß und Berufsqualifikation, Referat auf dem Deutschen Soziologentag in Frankfurt, April 1968.

D. MARX, Wachstumsorientierte Regionalpolitik, Wirtschaftspolitische Studien 3 (H. Jürgensen, Hrsg.), Göttingen 1966.

J. H. MÜLLER und P. KLEMMER, Baden-Württembergs verwässerte Raumstrategien, in: Der Volkswirt, Nr. 41 vom 11.10.1968, S. 39 - 42.

F. NEUMARK (Hrsg.), Strukturwandlungen einer wachsenden Wirtschaft, Schriften des Vereins für Socialpolitik, N.F. Bd. 30/I und 30/II, Berlin 1964.

J. NIEHANS, Strukturwandlungen als Wachstumsprobleme, in: F. Neumark (Hrsg.), Strukturwandlungen einer wachsenden Wirtschaft, Erster Band, Schriften des Vereins für Socialpolitik, N. F., Bd. 30/I, Berlin 1964, S. 18 - 45.

OECD Study Group in the Economics of Education, The Residual Factor and Economic Growth, Paris 1964.

A. E. OTT, Technischer Fortschritt, in: Handwörterbuch der Sozialwissenschaften, 10. Band, 1959, S. 302 - 316.

A. E. OTT, Einführung in die dynamische Wirtschaftstheorie, Göttingen 1963.

A. E. OTT, Einige Bemerkungen zum Problem der Freisetzung, unveröffentlichtes Manuskript, Tübingen 1968.

K. O. PÖHL, Wirtschaftliche und soziale Aspekte des technischen Fortschritts in den USA, Göttingen 1967.

H. RIESE, Strukturprobleme des wirtschaftlichen Wachstums, Basel 1959.

C. F. ROOS, Survey of Economic Forecasting Techniques, A Survey Article, in: Econometrica, Vol. 23, 1955, S. 363 - 395.

H. K. SCHNEIDER, H. BIERMANN und H.-L. FISCHER, Die Einkommens- und Beschäftigungswirkungen der Teilmaßnahmen des Entwicklungsprogramms Ruhr, Gutachten im Auftrage der Landesregierung von Nordrhein-Westfalen, April 1968.

D. SCHRÖDER, Zur Methodik der Regionalanalyse, in: Prognosetechniken in der Regionalplanung, Heft 19, Vorträge und Aufsätze, Institut für Siedlungs- und Wohnungswesen der Westfälischen Wilhelms-Universität Münster, Münster 1968, S. 1 - 20.

D. SCHRÖDER und Mitarbeiter, Strukturwandel, Standortwahl und regionales Wachstum, prognos studien 3, Stuttgart - Berlin - Köln - Mainz 1968.

P. SCHWANSE, Beschäftigungsstruktur und Wirtschaftswachstum in der Bundesrepublik Deutschland 1950 bis 1963, DIW-Sonderheft Nr. 74, Berlin 1965.

K. SCHWARZ, Probleme regionaler Bevölkerungsvorausschätzungen, Referat auf der Sitzung des Ausschusses Regionalstatistik der Deutschen Statistischen Gesellschaft am 5. Oktober 1966 in Hamburg.

R. STÄGLIN, Zum Stand der Input-Output-Rechnung in der Bundesrepublik, in: Konjunkturpolitik, Zeitschrift für angewandte Konjunkturforschung, 14. Jahrgang, 5./6. Heft 1968.

H. STAUBACH, Pendelwanderung und Raumordnung, Köln und Opladen 1962.

H. THEIL, Economic Forecasts and Policy, Second Edition, Amsterdam 1965.

W. UEBE, Industriestruktur und Standort, prognos studien 1, Stuttgart - Berlin - Köln - Mainz 1967.

W. VOGT, Theorie des wirtschaftlichen Wachstums, Berlin und Frankfurt 1968.

WIRTSCHAFTSMINISTERIUM BADEN-WÜRTTEMBERG, Strukturentwicklungsprogramm, Programm zur Förderung der gewerblichen Wirtschaft Baden-Württembergs, Stuttgart 1968.

INSTITUT FÜR ANGEWANDTE WIRTSCHAFTSFORSCHUNG
TÜBINGEN. SCHRIFTENREIHE

13 DIETER SCHWARZ
Die Konzentration des Betriebsvermögens in der gewerblichen Wirtschaft der Bundesrepublik Deutschland 1953, 1957 und 1960
Ein Beitrag zur empirischen Konzentrationsforschung
1969. XI, 376 Seiten, 11 Abb. u. 31 Tab.
Brosch. DM 32.50, Lw. DM 38.--

12 PETER BAUMGARTEN / WOLFGANG MÜCKL
Wirtschaftspolitische Zielkonflikte in der Bundesrepublik Deutschland
Eine theoretische und empirische Untersuchung
1969. XI, 193 Seiten, mit 9 Abb. u. 12 Tab.
Brosch. DM 18.--, Lw. DM 23.--

11 WOLFGANG FÖRSTER
Zerlegung und Lösung diskreter ökonomischer Prozeßmodelle
Neuere Methoden zur Analyse zufälliger Zeitreihen und linearer dynamischer Systeme
1969. XII, 384 Seiten, 7 Abb. Brosch. DM 32.--, Lw. DM 37.50

10 DIETRICH LÜDEKE
Ein ökonometrisches Vierteljahresmodell für die Bundesrepublik Deutschland
1969. VII, 221 Seiten. Mit 13 Tab.u. 4 Abb.i. Text u. 37 Tafeln in Tasche. Lw. DM 39.--

9 WALTER PIESCH
Die Lösungen einer Klasse von Produktions-glättungsmodellen
1968. X, 168 Seiten. Brosch. DM 30.--, Lw. DM 34.50

8 DIETER KUNZ
Preisniveau und Außenhandel
Eine empirische Untersuchung
1968. VIII, 159 Seiten, mit 29 Tab. Brosch. DM 17.50, Lw. DM 22.--

7 ALFRED EUGEN OTT (HRSG.)
Theoretische und empirische Beiträge zur Wirtschaftsforschung
1967. VI, 324 Seiten. Brosch. DM 48.--, Lw. DM 53.--

J. C. B. MOHR (PAUL SIEBECK) TÜBINGEN